JN013722

表現・創作・鑑賞

音楽を教えるヒント

——小中学校接続を視野に入れて——

小畑郁男・佐野仁美
共著

ハンナ

はじめに

みなさんの周りには、さまざまな音楽があふれています。楽譜が欲しいと思えば、すぐにインターネットで手に入れることもできます。しかし、誰かの演奏のコピーをするのではなく、自分なりに演奏しようと思ったら、どのように表現すればいいのでしょうか。

これまでの日本の音楽教育では、記譜法の理論をもとにした、例えば、「2拍子は強・弱・強・弱」というようなリズム観や、「第1主題、第2主題に注意して楽曲を眺める」といった時間の流れを図的に一望する楽式に主眼を置いて教えられてきました。楽譜を音にするためには、このような方法でその成り立ちを理解することは必要不可欠で、譜面から音楽の全体像をつかむことも重要です。しかしながら、実際に演奏や創作をする時に、これらの従来音楽教育で教えられてきた理論に頼るのみで、充分な表現ができるわけではありません。楽曲の形式を理解し、記譜されたとおりの音とリズムで演奏すれば、よい演奏になると思っている人は少ないでしょう。つまり、「表現したい」という意欲とともに、「どのように表現するか」という知識や経験が必要となってくるのです。そこに音楽の秘訣があると言えましょう。

2017年3月に小中学校の学習指導要領が改訂されました。たとえば小学校学習指導要領では、「音楽を特徴付けている要素」として、「音色、リズム、速度、旋律、強弱、音の重なり、和音の響き、音階、調、拍、フレーズなど」と記されており、「音楽の仕組み」として、「反復、呼びかけとこたえ、変化、音楽の縦と横との関係など」が挙げられています。これらは音楽の最も根本的な要素であり、専門家が演奏したり、指導者が教えたりする上でも留意すべき視点です。それらを総合して理解する力が必要になります。

小学校の教材も、楽典の本に書かれているような典型的なフレーズや形式で構成されている曲ばかりではありませんし、たとえそのような曲と出会っても、紋切り型の表現をしたことはないでしょうか。本書の第Ⅰ部では、小学校や中学校の教育現場で使っていただけるように、共通教材を取り上げて、それぞれの曲の特徴をもとに表現のポイントを具体的に記しました。小学校の教材には、ハ長調やヘ長調の曲ばかりでなく、日本の音楽も含まれていて、調号から判断される長・短調からみれば、主音以外の音で終わる曲もあります。音楽のまとまり方もまた、4小節単位のフレーズばかりではありません。さらに、歌詞が不自然にならず、かつ音楽的に表現するにはどうすればよいでしょうか？ここでは、メロディの表現とともに、歌唱表現の考え方を具体的に示しました。なお、各楽曲には、関連する知識を述べた箇所が記されていますので、適宜参照して理解を深めてください。

第Ⅱ部では、これまで「才能ある音楽家の占有物」と思われてきた感がある、幅広い音楽表現の方法を理論にまとめました。第Ⅱ部第1章では、音楽を感じ取る方法を述べました。音を音楽として表現するには、音をまとめてフレーズとして捉える必要があります。曲の解釈によってさまざまな場合がありますので、メロディの形によるフレーズのつくり方や、さらに各フレーズを関連づけて表現する方法を示しました。第2章では、表現のよりどころとなる知識をまとめました。「音楽の3要素」といわれるリズム、メロディ、ハーモニーに加え、形式や日本の音階を取り上げ、音楽理論の内容を整理しています。

ところで、「鑑賞指導をどのようにすればよいのかわからない」という人も多いのではないでしょうか。言うまでもなく、表現と鑑賞は表裏一体の関係にあります。「音楽がどのような仕組みでつくられているのか」を知ることは、必然的に「音楽をどのように聴けばよいか」という鑑賞の本質に繋がってきます。第Ⅲ部では、鑑賞曲を取り上げて、第Ⅱ部の音楽の要素や語法について、どのように捉えていけばよいのかを示しました。

そして第Ⅳ部では、単に楽譜を眺めるだけにとどまらず、音楽の仕組みを実感し、身につけていただくために、それぞれの音楽語法を用いた打楽器や鍵盤楽器による簡単な即興練習曲を掲載しています。これらは、クラスにおける音楽づくりや創作の教材としても使えるように留意しました。音の断片を選んだり、組み合わせたりして音楽をつくっていくうちに、音楽の仕組みを実感して、音楽の語法を身につけ、部分的な要素同士の関連性にまで理解を深めていきましょう。音楽理論を机上のものではなく、生きたものとして使える形にすることが本書の目的です。

◆目次◆

第Ⅰ部
小学校、中学校共通教材の指導ポイント

第1章● 音楽的な見方・考え方

自らの表現を生み出し、聴いている人に伝えていくためには、音楽についての理解を深めていくことが必要です。私たちが使っている西洋起源の楽譜は、拍子を用いた五線記譜法です。五線記譜法はよくできたシステムなので、記譜法の理論が音楽の理論であると錯覚してしまうこともよくあります。音楽では、いくつかの音がまとまりをつくり、まとまり同士がさらに大きなまとまりとなり…最終的には一つの大きなまとまり、すなわち曲となります。音のまとまりと言えば、小節を連想してしまいがちですが、実際には、長さも異なるさまざまなレベルのまとまりがあります。まずは、私たちが一度に捉えることができる短いまとまりを見つけ、その表現を感じ取る方法を見つけましょう。

それぞれのまとまりには、中心となる大切なところ（＝重心）が一か所あります。重心は、まとまりの最初にあったり、中ほどにあったりします。音楽の「やま」や「もり上がり」というような言葉は、その大切なところや、そこに向かう道筋を指しています。

「大切なところ」「やま」「もり上がり」を表現するために、本書では表現曲線を用いています（図1）。表現曲線は、グレゴリオ聖歌で用いられるキロノミー（指揮法）を応用したもので、音楽の高揚感を曲線で示しています。西洋音楽は、グレゴリオ聖歌から始まると言われています。19世紀末に復興されたグレゴリオ聖歌の演奏には、当時の演奏習慣が色濃く反映されており、それを目に見える形で表したものがキロノミーです。図の中に★印で示した部分が高揚感の頂点（山）を示し、フレーズ（第Ⅱ部第2章5（1）参照）の中心となります。この部分に向かって音楽は高揚し（もり上がり）、その後、収まっていきます。

音のまとまり同士の関係を地図のように示したものが、音楽の形式です。形式は大まかな見取り図なので、それを演奏表現に生かすための方法が必要です。それぞれのまとまりは無関係ではなく、先行するまとまりにある音やリズム・パターンなどから、後続するまとまりが紡ぎ出されています。そのような関連性を感じ取ることにより、メロディの自然な流れを形づくることができるのです（第Ⅱ部第2章5参照）。

音のまとまりの最後の部分を聴いて、音楽が続いていく感じか、そこで終わってしまう感じがするのかは重要です。長調や短調の音楽では、終わった感じを与える音階の音を「主音」と呼び、主音以外の音は音楽が続いていく感じを与えます。また、日本の音楽など、中心になる音が一つとは限らない場合もあります。

第2章からは、小学校、中学校の共通教材を通して、メロディのまとまり同士の関係を考え、「音楽的な見方・考え方」を具体的に示していきたいと思います。

図1　表現曲線

第2章●第1学年共通教材

1.《うみ》――メロディのまとまりを見つけよう！

1941（昭和16）年発行の国民学校初等科第1学年用の『ウタノホン 上』に掲載されました。詩人の林柳波（1892-1974）には童謡の作品もあります。井上武士（1894-1974）は音楽教育界に大きな業績を残した人物で、唱歌や童謡も作曲しました。

楽譜に書かれた休符はメロディのまとまりを教えてくれます（譜例1）。第4、8小節目の休符から、《うみ》には同じリズム・パターンの4小節のまとまりが感じ取れます（第Ⅱ部第1章4（1）参照）。メロディのまとまりの最後の音が主音であれば終わった感じがします。《うみ》はト長調。主音は「ソ」です。第4小節の音「ラ」は続いていく感じを与え、最後の音である第8小節の「ソ」は終わる感じを与えます。また、第2、6小節のブレス記号からは、2小節ずつの小さなメロディのまとまりを感じ取ることができます。

日本語は、仮名一文字の長さが時間の単位となる性質を持つ言葉です。第1小節では4分音符を単位として進んでいた音楽の時間が、第2小節最初の二つの8分音符で時間の単位が短くなって勢いを増した後、4分音符に戻って静まります。最初のまとまり（第1～2小節）の重心は、第2小節の最初の音、「ひろいな」の「ひ」につけられた「ミ」の音ですが、最も高い音は第1小節の最初の「シ」の音です。まとまりの最高音と重心が一致しない場合、自分の中に歌いこむような、内面的な表現が求められ（第Ⅱ部第1章3参照）、重心を強調しすぎると全体のバランスを崩してしまいます。

次に続く第3～4小節は、第2小節と同じリズムによって開始されます。「リズムのしりとり」によって導かれ、重心は第3小節の開始部分にあります。まとまりの捉え方は一通りではなく、いろいろな表現の可能性があり、それが解釈です。第1～4小節の大きなまとまりを考えれば、まとまりの重心は第3小節になります。息つぎを工夫して、最初の2小節が第3小節を導き出すようにしましょう。

第5～8小節も第1～4小節と同じ形をしています。第4小節にクレシェンド（*Crescendo*）が書かれた楽譜では、第5小節の山に向かって上り、その後静まっていくような形で強弱が示されています。第5小節に全体の山があっても、その中に含まれる小さな音のまとまりの表現がなくなってしまうわけではありません。部分的なまとまりの音楽的な起伏の積み重ねの結果が、全体の表現を形づくっているのです。いろいろな可能性をためしてみて、共感できる表現を見つけましょう。

譜例1　《うみ》文部省唱歌／林　柳波 作詞／井上武士 作曲

2.《かたつむり》――短い音は次の長い音とグループに

1911（明治44）年の『尋常小学唱歌　第一学年用』に掲載された曲で、4小節のまとまりが三つでできています（譜例2）。最初のまとまりは「レ」（第4小節）、次のまとまりは「ミ」（第8小節）で終わり、音楽は続いていく感じがします。最後はハ長調の主音「ド」で終わります。短い音は次の長い音とグループになります。例えば第1～4小節では、「で／んでんむ／しむしか／たつむり」というまとまり方を意識することによって、生き生きとした表現になります。

フレーズを考えると、第1～4、5～8小節の形は、《うみ》で見たまとまり方（2+2の4小節）と、よく似ています。それぞれの4小節の重心は3小節目にあります。

対して、第9～12小節のまとまり方は異なります。第9小節は1小節でまとまり、第10小節で高さを変えてくり返され、第11小節は同じように前の小節から受け継がれますが、メロディは2小節に延長されます。1+1+2の4小節で、重心は第11小節です。第9、10小節「つのだせ、やりだせ」の部分で、音楽は活発になります。音楽のもり上がり方には、まとまりの長さが深く関係します。2小節単位のくり返しで進んでいた音楽が、1小節単位のくり返しになり、再び2小節のまとまりとなります。つまり、メロディのまとまりが短くなると音楽はもり上がり、長くなると落ち着きます（第Ⅱ部第1章4（4）参照）。

一般にまとまりのくり返しは2回まで、3回目は変化します。第1～4小節の形は、第5～8小節でくり返され、第9～12小節で変化します。第9小節の形は第10小節でくり返され、第11～12小節で変化しています。曲全体としての山は、第9小節にあります。

譜例2 《かたつむり》文部省唱歌

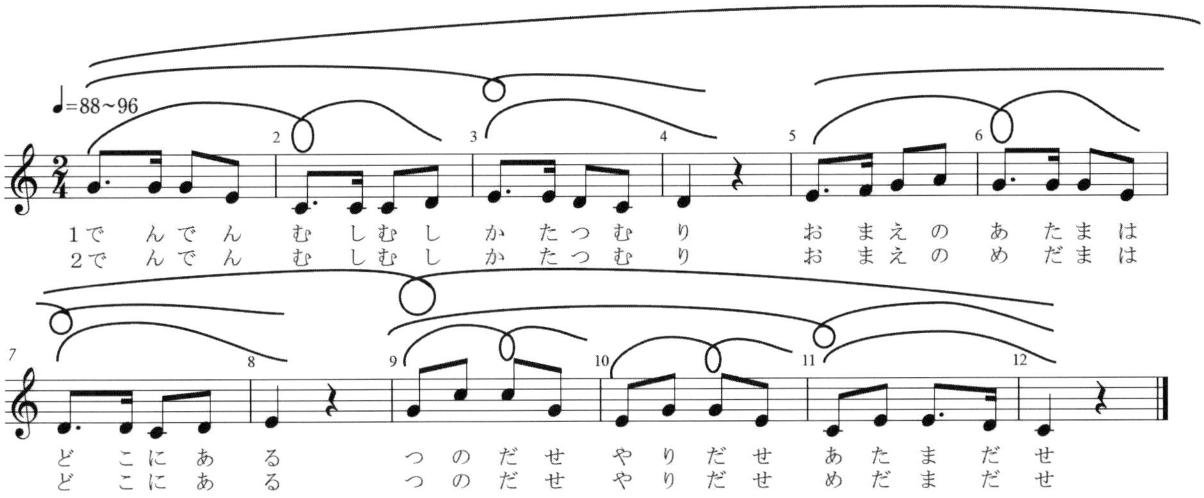

♩=88~96

1で んでん むしむし かたつむり おまえの あたまは
2で んでん むしむし かたつむり おまえの めだまは

どこにある つのだせ やりだせ あたまだせ
どこにある つのだせ やりだせ めだまだせ

3.《日のまる》――メロディの二つの型

1911（明治44）年の『尋常小学唱歌　第一学年用』に掲載された曲です。4小節のまとまりが4回くり返され、「ソ」（第4小節）、「ド」（第8小節）、「ソ」（第12小節）と続く感じで終わった後、最後は、ヘ長調の主音「ファ」で終結感を持って閉じられます（譜例3）。仮名一文字の長さが同じという日本語の性質（例えば、俳句や短歌などで文字ごとに拍を数えます）にしたがい、メロディがつくられています。

第1～4、5～8小節では3小節目にまとまりの重心がありますが、第9～12小節では1小節目にアクセントがあります。最後の部分は演奏者の考えで、重心を第13小節、あるいは第15小節のどちらかに決めることができます。どの部分に重心を置くかによって、メロディの型は大きく2種類に分類することができます。一つはまとまりの最初にくる場合、もう一つは、まとまりの中間にくる場合です。全体の山は第9小節にあります。第1～4、5～8小節の重心の部分、歌詞で言えば「あかく」「そめて」が全体の山の「ああ」に繋がっていくように感じて、歌ってみましょう。

譜例3 《ひのまる》文部省唱歌／高野辰之 作詞／岡野貞一 作曲

4. 《ひらいたひらいた》──引き延ばされるテンポ感

前半6小節、後半6小節の12小節の曲です（譜例4）。メロディが「ラ」で終わると（第12小節）、音楽は終わった感じになります。この曲の前半は第3～4小節を省略し、{(ひらいた／ひらいた：2小節)（れんげのはなが／ひらいた：2小節)} の4小節としても音楽としては成り立ちます。それに対応して、第10～12小節を（つぽんだ）に変更し、後半を {(ひらいたと／おもったら：2小節)（いつのまにか／つぼんだ：2小節)} とすることによって、全体を8小節の長さにまとめることもできるでしょう。実際は「なんのはながひらいた」という問いかけが挿入され、「つぼんだ」の部分が3小節に拡大されることによって、前半6小節、後半6小節、合わせて12小節の変則的な形となっています。

第1～2小節、第3～4小節、第5～6小節の重心は、それぞれ2小節目の第1拍にあります。次の第7～8小節も同様で、第9～12小節の重心は、第10小節にあると考えられます。また、後半の第7～12小節を大きなまとまりと捉えれば、重心は第9小節となり、2小節ごとの問いかけとくり返し、後半は音楽を大きなまとまりにして、終わります。同じテンポで演奏しても、引き延ばされた部分では、音楽が落ち着いた感じになるでしょう。まとまりの長さが長くなれば、テンポ感は遅くなります（第Ⅱ部第1章4（4）参照）。

譜例4 《ひらいたひらいた》わらべうた

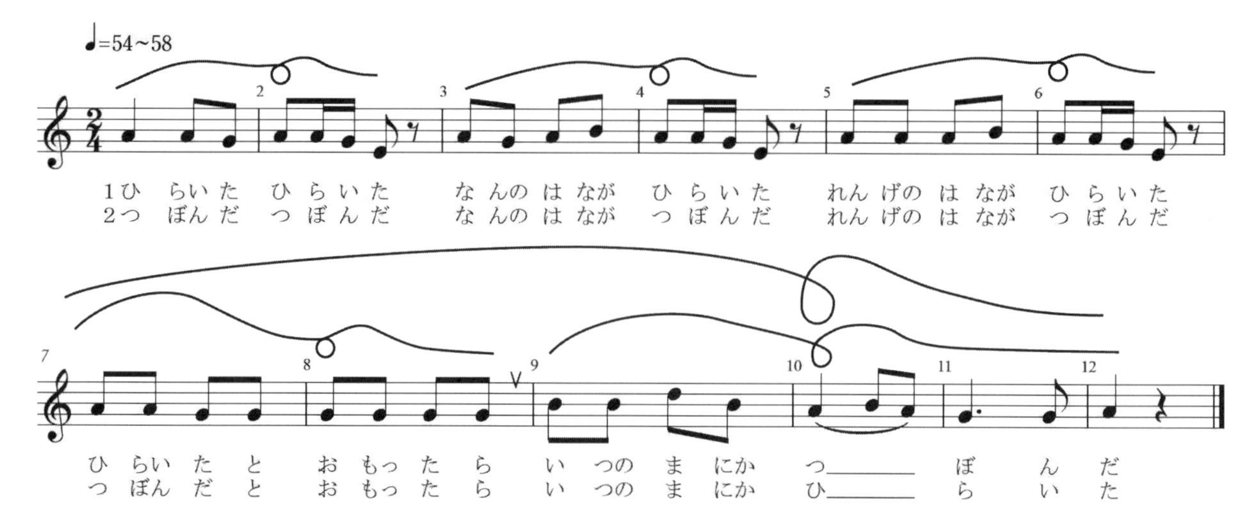

第3章●第2学年共通教材

1.《かくれんぼ》――核音で終止する

4小節のまとまりが集まって8小節の主部となり、その後2小節ずつのかけ合いが続きます（譜例5）。第1～4小節で一番伝えたいのは「よっといで」の部分で、重心は第3小節の1拍目にあります。次の第5～8小節も同様で、その後は2小節ずつの呼びかけと応答のくり返しとなっています。第4小節は「ラ」で終止しています。第1～4小節は「ミ」「ラ」を核音（中心となる音）とする民謡のテトラコルドでできています。第5～6小節は「ラ」を核音とする三音音階、第7～8小節では「レ」「ソ」が核音として機能しています（第Ⅱ部第2章2（6）参照）。第9～16小節は「ラ」を核音とする三音音階です。

譜例5　《かくれんぼ》文部省唱歌／林　柳波 作詞／下総皖一 作曲

2.《春がきた》――まとまり同士を繋げて、大きなまとまりへ

国語の教科書『尋常小学読本』の韻文に曲をつけた『尋常小学読本唱歌』が1910（明治43）年に刊行され、この曲が掲載されました。先述の『尋常小学唱歌』は、1911（明治44）年より学年別で出版されます。当時は合議制で編纂され、文部省著作とされていましたが、共通教材にはここから歌い続けられている曲が多く含まれています。

1+1+2の4小節の二つのまとまりからできていて（譜例6）、前半は「レ」（第4小節）で続く感じ、後半はハ長調の主音「ド」で終結します。第1小節「はるがきた」の重心は3拍目にあり、くり返され、次の第3～4小節の重心は第3小節の1拍目にあります。前半4小節の重心は第3小節になります（第Ⅱ部第1章4（5）参照）。第1小節4拍目の「ラ」から第3小節のメロディが開始されていることを意識しておくと、4小節の表現がまとまります。前半のまとまりの型は、後半の4小節にも受け継がれ、第5小節4拍目の「ソ」から第7小節のメロディは開始されています。「のにもきた」の最高音は助詞「に」になりますが、まとまりの重心は第1拍目ですので、アクセントがつかないように注意してください。第3～4小節（どこにきた）、7～8小節（のにもきた）を連続して歌ってみると、8小節全体の音楽表現を感じ取ることができます。全体の表現の枠を考え、続けて歌ってみましょう。

譜例6　《春がきた》文部省唱歌／高野辰之 作詞／岡野貞一 作曲

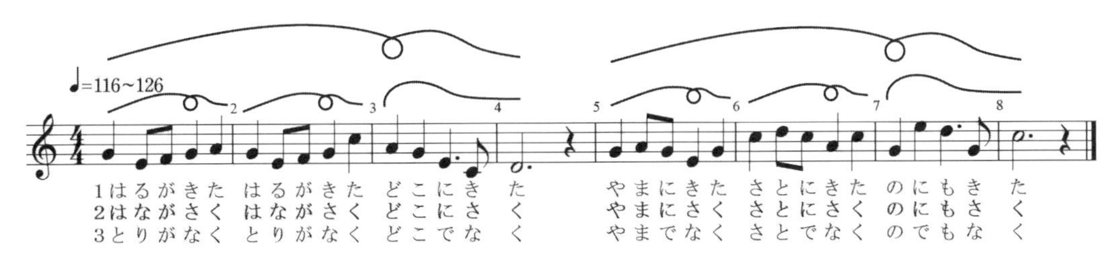

3.《虫のこえ》──言葉の途中が1拍目にくる場合

『尋常小学読本唱歌』に掲載され、多くの秋の虫と、その鳴き声がオノマトペ（擬声語・擬音語）で表された楽しい曲です。実際の虫の声を調べて、聴き比べてみましょう。

曲は前半6小節、後半8小節の14小節で構成されています（譜例7）。

前半6小節は2小節のまとまりのくり返しです。第1〜2小節では、｜あれまつ｜むしが｜というように「まつむし」という言葉の途中に小節の区切りがあり、拍子の原則に従って第2小節1拍目を強く発音すると、言葉のまとまりを壊してしまいます。第1小節2拍目の言葉の始まりをはっきりと歌いましょう（第Ⅱ部第1章1（2）参照）。8分休符で区切られますが、第1〜4小節を大きなまとまりと捉えると、第3小節の最初の音に重心が置かれます。第5〜6小節の重心は第6小節の最初の音で、第5小節の「チンチロチンチロ」はその音に向かって勢いを増し、後は静まっていきます。

曲の後半、2小節のまとまりは4小節のまとまりをつくり、さらには第7〜14小節という大きなまとまりとなります。前半は比較的短いまとまりで、虫の声に焦点が当てられた軽快な音楽ですが、後半ではたっぷりと歌い、変化をつけましょう。

譜例7 《虫のこえ》文部省唱歌

4.《夕やけ こやけ》──メロディのしりとり

中村雨紅（1897-1972）が書いた詩に、童謡運動で知られる草川信（1893-1948）が1923（大正12）年に曲をつけました（譜例8）。四つの4小節のまとまりでできていて、最初よりも次のまとまりの方が音は高くなり、第9小節に導かれます。最も音が高い第9小節は曲の山であり、その後、次第に低くなって静まっていきます。

第1〜2小節では、第2小節の「こやけ」の「こ」に割り当てられた「ソ」を中心に2小節がまとまります。第3〜4小節では、重心は第3小節にあり、第4小節は「て」という語尾が割り当てられた一つの音だけです。まとまりの最後の小節が一つの音で終わる場合、第1拍でもアクセントはなく（第Ⅱ部第1章2(1) 参照）、第3小節2拍目「レ-ミ」は、そっと下降して第4小節の「レ」に収まります。第8、12、16小節も同様です。第1〜4小節のまとまりでは、第3小節最初の音、「ひがくれて」の「ひ」に当たる「ド」の音が重心です。他よりも低い音に重心がある場合は、自分に語りかけるような表現になります。

第5小節最初の「ミ」の音は、第2、3小節の最後に置かれています。無意識に聞いていた音を次のまとまりの最初の音として意識することによって、「ミ」の音は新鮮に響き、メロディは自然に流れていきます。第9小節最初の「おててつないで」の「お」に当たる「ド」の音は、直前の第8小節と同じです。メロディが直前の音から紡ぎ出される、いわば「音のしりとり」はよく見られます。直前の「かねがなる」の表現を意識することが大切です。

譜例8 《夕やけ こやけ》中村雨紅 作詞／草川 信 作曲

第4章●第3学年共通教材

1.《うさぎ》――音楽のまとまりによる加速感、減速感

日本古謡とは、伝統的に歌い継がれてきた日本の歌で、《うさぎ》は「ミ」の音で終わった感じがする音階でできています（第Ⅱ部第2章2（6）参照）。2小節のまとまりがくり返された後、5小節（2＋3小節）のまとまりが続き、9小節の曲になっています（譜例9）。仮名一文字に8分音符が配されている中で、第1小節最初の「うさぎ」の「う」には4分音符が当てられています。第1～2小節の重心は第2小節の最初の音にあります。長い音は「遅く」、短い音は「速く」感じますので、第1小節のメロディは後半の8分音符で勢いがつき、この重心は自然に強調されることになります。

第3～4小節の表現は、第1～2小節の表現のくり返しです。2回くり返したら3回目は変化、第5～6小節と、第7～9小節とがまとまることによって第5～9小節の長いまとまりができています。後半第5～9小節を譜例10のように変更すれば、全体は8小節の一般的なメロディの型になります。最後の3小節は、譜例10の最後の2小節が引き延ばされたものです。同じ速さで演奏しても、音のまとまりの長さが短くなれば音楽は速く感じ、長くなれば落ち着き、遅く感じることになります（第Ⅱ部第1章4（4）参照）。

譜例9 《うさぎ》日本古謡

譜例10 《うさぎ》後半の短縮形

2.《茶つみ》――休符で始まるメロディ

1912（明治45）年の『尋常小学唱歌 第三学年用』に掲載され、お手合わせをして歌われてきました。四七抜き音階の曲で（第Ⅱ部第2章2（7）参照）、2小節のまとまりが二つ集まってできる、休符で始まる4小節のまとまりが4回くり返されます（譜例11）。休符で始まるメロディ（第Ⅱ部第1章1（3）参照）を歌うときには、リズムに乗り遅れ、言葉が分りにくくなることが多いので、歌詞を早めに意識し、1拍目の休符を強く感じて、その反動を利用して歌い出し、言葉をはっきりと伝えるようにしましょう。

最初の4小節では、第1～2小節のまとまりの後半、第2小節のリズムによって第3小節は始まり、第3～4小節のまとまりに発展しています（リズムのしりとり）。最後の第13～16小節では、第14小節の第1～2拍と第3～4拍のリズムが入れ替えられて、第15小節のメロディが導かれています。

4小節同士の関係に目を向けてみましょう。最初の4小節の音のまとまりの中、第2小節から第4小節1拍目までの音を拾っていくと、「シ－レ－シ－ラ」となり、次のまとまりの開始部分（第5～6小節）は、この音列から始まっています。

同様に、三つ目の4小節のまとまりの後半（第11～12小節）の音「レ－シ－ラ－ソ」から、最後のまとまりが導かれます（メロディのしりとり）。音列が受け継がれていることを意識してみましょう。二つのまとまりを連結して第9～16小節のまとまりにすると、メロディの輪郭から第13小節が山に感じられま

す。2回くり返したら3回目は変化という定式からも、4＋4＋8小節と捉えると、変化に富む表現になります（第Ⅱ部第1章4（5）参照）。

譜例11　《茶つみ》文部省唱歌

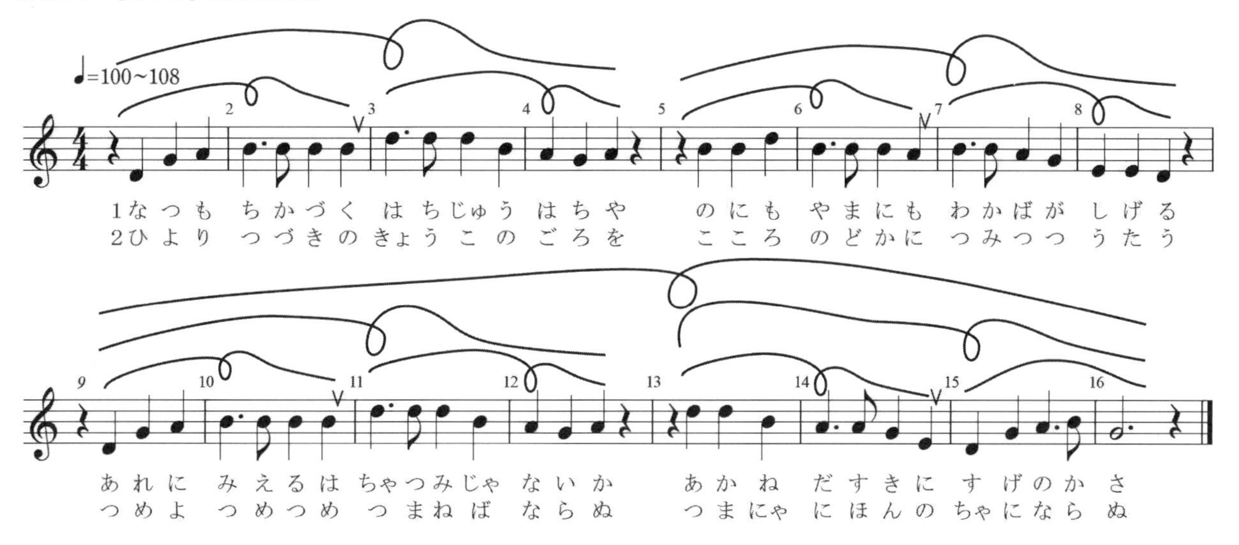

3.《春の小川》――背景に流れる和音の変化

1912（明治45）年の『尋常小学唱歌　第四学年用』に掲載された曲で、7文字の歌詞が4分の4拍子の2小節に当てはめられ、4小節のまとまりが4回くり返されます（譜例12）。二つ目と四つ目のまとまりは同じで、最後の音が主音「ド」となり、メロディの終結が感じられます。第2小節のメロディは、第1小節の最初の二つの音「ミ－ソ」から導かれ、第3～4小節のメロディは、第1小節3拍目から第2小節1拍目の音列「ラ－ソ－ミ」で開始されています。聞き流しがちな音の関係を意識しましょう。

4小節のまとまりの初めの小節に注目してみましょう。「ミ－ソ」で開始される第1、5小節の背後には、「ドミソ」の和音が流れていますが、三つ目のまとまりの「レ」で始まる第9小節では和音が変化し、四つ目の開始部分の第13小節で戻ります。背景に流れる和音から、2回くり返した後の3回目の変化を感じることができるでしょう。それぞれのまとまりの3小節目のメロディは、第3、7、15小節では「ラ－ラ－ソ－ミ」、第11小節は「ド－ド－シ－ラ」という共通の輪郭をもち、曲全体に統一感を与えています。曲全体の自然な流れを整えるために、第3～4、7～8、11～12、15～16小節を続けて歌い、まとまりの終わり方の表現を関連づけてから全体を歌ってみましょう。

第1～10小節は四七抜き音階でできていますが、第11小節に「シ」の音が現れ、「ド－シ－ラ」という単純な音階的下降が新鮮に聞こえます（第Ⅱ部第2章2（8）参照）。

譜例12　《春の小川》文部省唱歌／高野辰之　作詞／岡野貞一　作曲

4.《ふじ山》――先行する音を意識する

『尋常小学読本唱歌』に掲載された曲で、4小節のくり返しですが、後半は8小節のまとまりと考えた方がよいでしょう（譜例13)。第9～10、11～12小節と次第に音は高くなり、第13小節で頂点となります。一つ目から三つ目までのまとまりは、♩.　♪♩ ♩のリズムから開始されることによって関係づけられていきます。

第1小節4拍目の「ソ」、第2小節2拍目裏の「レ」という、メロディの中で意識されにくい音で第3小節を始めることによって、第3～4小節のメロディは新鮮に響きます。第6小節の開始音「ラ」は、第1小節3拍目に現れ、第6小節のメロディは、第11小節でも歌われます。そして、第11小節後半、第3～4拍の「ド」「ラ」が第13小節のメロディを導くことになるのです。これらの先行する音の脈絡を意識すると、唐突な感じのしない演奏になります。第1、6、11～12、13小節の「あたまを」「やまを」「したにきく」「ふじは」を続けて歌って、音楽の自然なもり上がりを感じた後、最初から通して歌ってみましょう。

譜例13 《ふじ山》文部省唱歌／巖谷小波　作詞

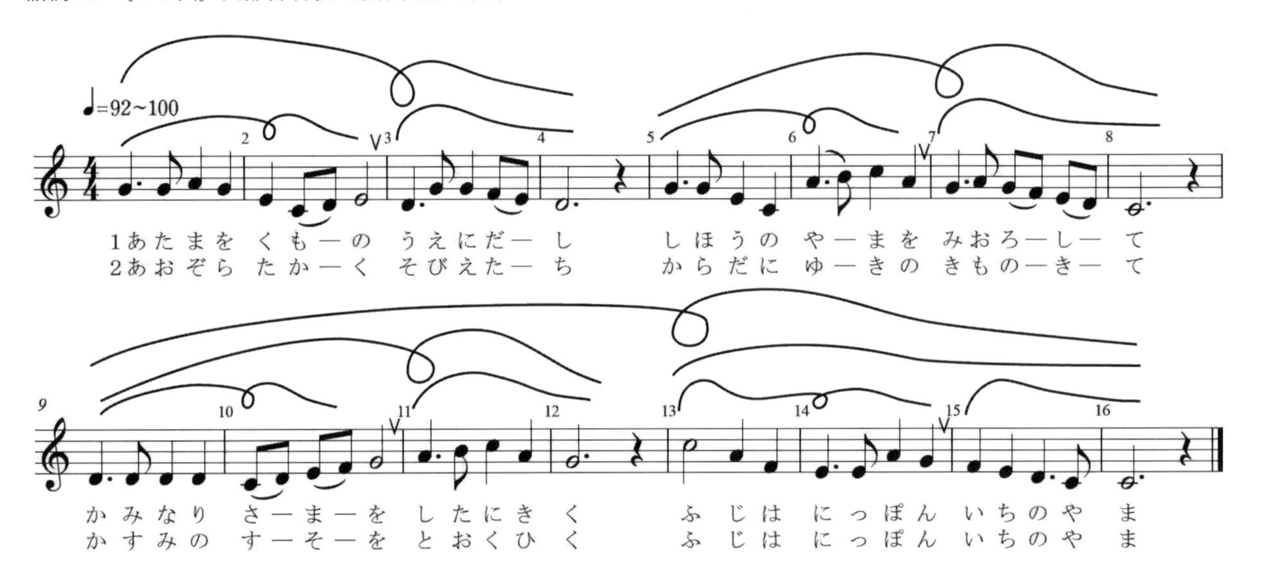

第5章●第4学年共通教材

1.《さくらさくら》──「ミ」で終わる日本音楽

「さくら」という言葉につけられたメロディのくり返しである第1〜2、11〜12小節を、2小節のまとまりと考えれば、全体は、2小節のまとまりがくり返されて続いていく、おだやかな起伏を持った楽曲のように感じられます（譜例14）。「シ」「ミ」「ラ」の音を中心としたメロディで、曲は「ミ」の音で終わっています（第Ⅱ部第2章2（6）参照）。

「さくら」に呼びかけるような最初の2小節は、次の2小節と合わせて、4小節のまとまりとも瞬間的には感じ取れます。しかし、第3〜4小節のメロディが第7〜8小節に再び現れ、第7〜10小節のまとまりとなりますので、第3〜6小節「のやまもさとも　みわたすかぎり」と捉えた方がよいでしょう。第3〜4小節のメロディが高く、第5〜6小節は低く、おだやかな波が上下に漂うような緩やかなまとまりです。第11小節で「さくら」に戻り、今度は4小節のメロディとなって終わります。

譜例14 《さくらさくら》日本古謡

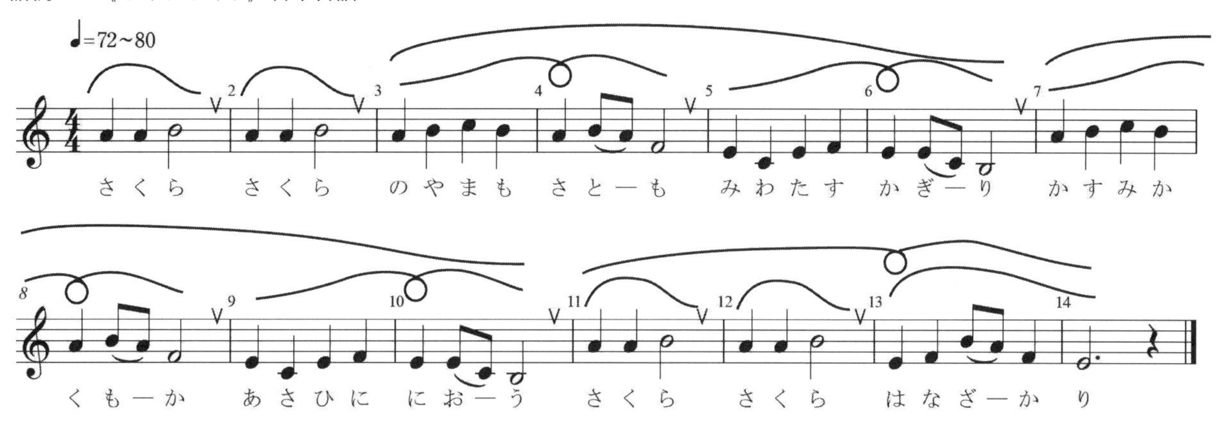

2.《とんび》──メロディのくり返しと変化

童謡運動で活躍した詩人の葛原しげる（1886-1961）の詩に、梁田貞（1885-1959）が1919（大正8）年に作曲しました（第Ⅱ部第2章2（7）参照）。四七抜き音階の曲で、4小節のまとまりがくり返された後、2小節のまとまりの反復に変化し、4小節のまとまりに戻ります（譜例15）。第8、16小節の最後の音が主音「ド」であり、メロディの終結が感じられます。

私たちは、始まりの部分で同じメロディかどうかを判断しますので、第1〜4、5〜8、13〜16小節は、ほとんど同じに聞こえます。第9小節の「ピンヨロー」という、とんびの鳴き声を連想させる音型が、第10小節で高さを変えてくり返されます。まとまりの長さは短くなり、音楽は動きが増し、もり上がります。強弱を工夫しましょう。まとまりの終わりの部分、第3〜4、7〜8、11〜12、15〜16小節の「そらたかく」、「あおぞらに」、「ピンヨロー　ピンヨロー」、「わをかいて」を続けて歌ってみると、音楽全体の流れがよくわかります。

譜例15 《とんび》葛原しげる　作詞／梁田　貞　作曲

3.《まきばの朝》──弱拍から始まるメロディの歌い方

福島県の岩瀬牧場の風景を描いたと言われる詩に、大正から昭和初期にかけて活躍した歌手の船橋栄吉(1889-1932) が曲をつけた作品で、1932 (昭和7) 年の『新訂尋常小学唱歌　第四学年用』に掲載されました。16小節 (4+4+8) のまとまりに、第17～20小節の4小節が終結の部分として付加されています (譜例16)。

第1～2小節のメロディの中心的な音である「ソ」から離れて、第3小節では大きく揺れ、第4小節で再び「ソ」に戻ります。この「ソ」から次のまとまり (第5～8小節) が始まります (第Ⅱ部第1章5 (2) 参照)。弱拍から始まるメロディの歌い方を練習してみましょう (第Ⅱ部第1章1 (2) 参照)。「ソ」から「ラ」への移り変わりは、音の高さとしては「下から上へ」の変化なのですが、空間的に上にあるものが下りてくるというイメージで歌い、「まきば」の「き」にアクセントがつかないように気をつけましょう。

メロディの輪郭に注意してみれば、第1～4小節の重心に当たる第3小節は外に、第5～8小節の重心に当たる第7小節は内に向かって歌いかける、対照的な表現が求められます (第Ⅱ部第1章3参照)。第9～16小節のメロディは、「ド」に始まり、オクターブ上の「ド」の頂点を持つ山型の輪郭を持っています。ここでは山型の輪郭を描くのに8小節かかりますが、第17小節の「ド」の音は1小節後に頂点の「ド」に到り、第20小節の「ド」に下りてきます。スピード感の違いを感じながら、演奏しましょう (第Ⅱ部第1章4 (4) 参照)。

譜例16 《まきばの朝》文部省唱歌／船橋栄吉 作曲

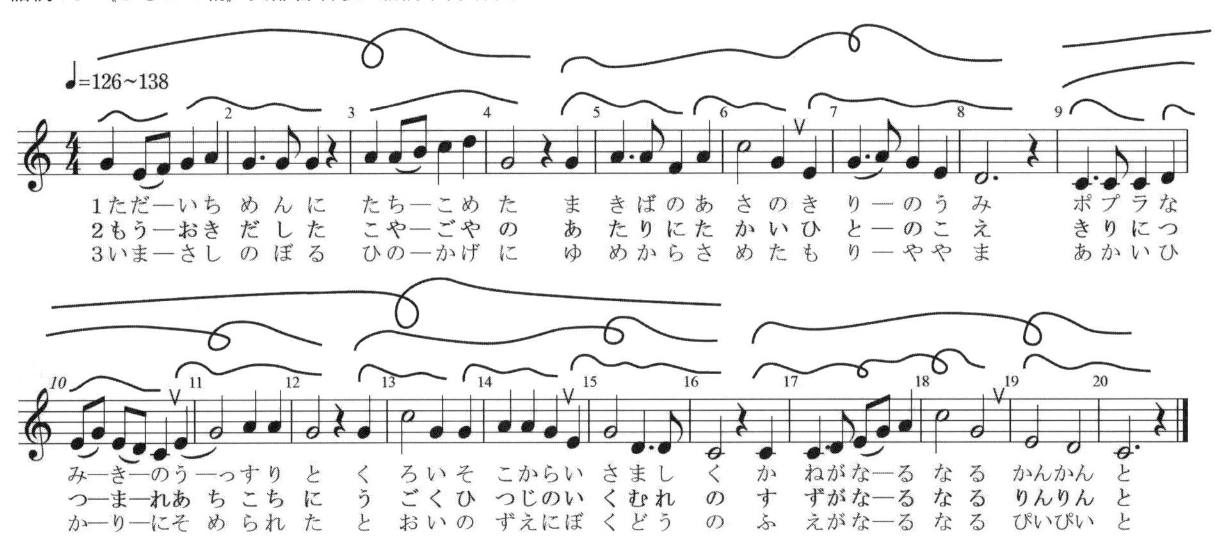

4.《もみじ》──言葉の途中が1拍目にくる場合

1911（明治44）年の『尋常小学唱歌　第二学年用』に発表された曲です（譜例17）。1番では山のあでやかな紅葉を、2番では谷川にもみじが散った様子を描いています。2番の「たにのながれに」では鼻濁音に注意し、「散り浮く」は、「散り行く」とならないように様子を思い浮かべて、「はなれて」は、ハ行の発音を早めに意識して歌いましょう。

2小節のまとまりは♩ ♫♩ ♩あるいはその変形によって始まり、関係づけられていきます。第2小節は二つの音で終わっているので、音楽的には1拍目「ファ」の音にはアクセントがつきますが（第Ⅱ部第1章2（2）参照）、この音には「ゆうひに」の「ひ」が割り当てられています。第1拍よりも、小節線の前の拍において高揚感が高いという性質を利用し、「ゆうひの」の「ゆう」の高揚感を強調して、「ひ」にアクセントがつかないようにします。第2小節1拍目の音から、第3～4小節のメロディが発展していく方法は、四つのまとまりすべてに共通しています。

第5～8小節は第1～4小節のくり返しです。三つ目のまとまりは変化します。まとまりの後半（第11～12小節）のメロディのくり返しとして、最後の四つ目のまとまりは始まり、メロディのしりとりが行われています。第9～16小節の大きなまとまりを感じると、全体の表現が自然で豊かなものとなるでしょう。

譜例17 《もみじ》文部省唱歌／高野辰之 作詞／岡野貞一 作曲

第6章●第5学年共通教材

1.《こいのぼり》——2種類の付点音符のリズム

1913（大正2）年の『尋常小学唱歌　第五学年用』に掲載された曲で、4小節のまとまりの最後の音は、「ソ」（第4小節）、「ド」（第8小節）、「ラ」（第12小節）と続き、最後にヘ長調の主音「ファ」（第16小節）で終結感を持って終わります。後半の8小節は、一つのまとまりとすることができます（譜例18）。《かくれんぼ》（譜例5）と同様に、16分音符はすぐ後の長い音符とグループに感じます。付点8分音符と付点4分音符が用いられていますが、「いらかの」の「の」は8分音符で、16分音符とは区別しましょう。なお、付点8分音符と16分音符のリズムは、「ピョンコ節」とも言われ、唱歌や軍歌で多用されました。

第1小節のメロディの最初から、第3〜4小節のメロディは導かれ（第Ⅱ部第1章5（1）参照）、4小節のまとまりの重心は第3小節にあります。このまとまりをくり返した後、次のまとまりは「ラ」の音から開始されます。この音は、第2、6小節の最後の「ラ」の音を受け継いだものですが、第9〜10小節は、一時的にニ短調に転調しているように聞こえます。

この曲の最高音「レ」は、第13小節の最初にあり、直前の音から大きく跳躍します。第8小節の「ド」との関係を意識すると、全体の山を感じることができるでしょう。第3〜4、7〜8、13〜14小節、「くものなみ」「なかぞらを」「たかくおよぐや」を続けて歌ってみて、音楽のストーリーを感じ取りましょう。

譜例18 《こいのぼり》文部省唱歌

2.《子もり歌》——リズムのくり返しを感じる

《五木の子もり歌》をはじめ、日本の民謡には各地で歌われていた子守歌があります。この歌は、親ではなく、まだ若い子守娘によって江戸時代から歌い継がれてきました。4小節のまとまりが2回続きます（譜例19）。1拍目の裏拍から始まるリズムが特徴的です。第2、3、6、7小節は8分休符を強く感じて、言葉が出遅れないように歌いましょう（第Ⅱ部第1章1（3）参照）。長く歌い継がれて、おそらく歌い手の音感の違いによって生じた2種類の音階の《子もり歌》があります（第Ⅱ部第2章2（6）参照）。

譜例19 《子もり歌》日本古謡

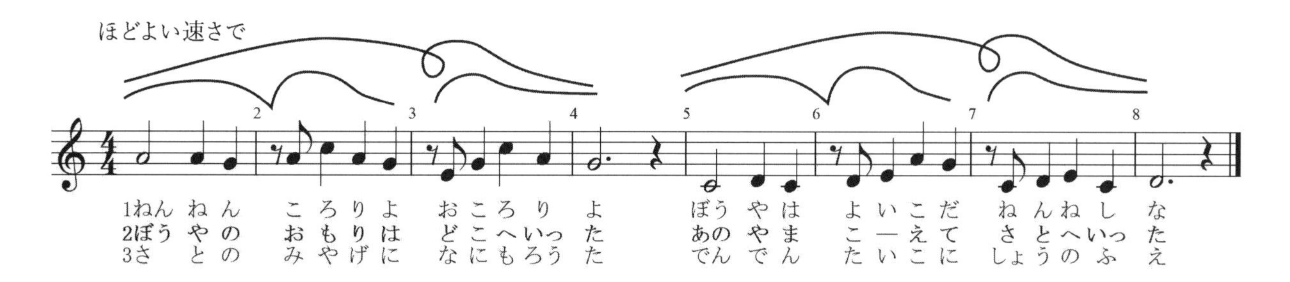

3.《スキーの歌》――音のまとまりが短くなるスピード感

橋本国彦（1904-49）によって作曲され、1932（昭和7）年の『新訂 尋常小学唱歌 第六学年用』に掲載されました。全体の構成は、2+1+1の4小節のまとまりが2回続いた後、2+2の4小節に移り、2+1+1のまとまりに戻ります。この16小節に、2小節が加わった18小節の曲です（譜例20）。

まず主音「ソ」で終わる、終結感を持った4小節が歌われます。2小節のまとまり（「かがやくひのかげ」）の後、1小節（「はゆる」）、1小節（「のやま」）とまとまりが短くなります。まとまりが短くなることによって、スピード感が増します（第Ⅱ部第1章4（4）参照）。第1～2小節の「ひのかげ」で「シ」から1オクターブの音程差に到達し、「はゆる」の「はゆ」では「レ」「ド」の7度の音程、「のやま」の「のや」では「レ」「シ」の6度の音程が現れ、躍動感を助長しています。テンポが速くて難しいですが、音程を正確に取りましょう。音楽は発展していき、第16小節の最初、主音「ソ」でいったん終止し、終結部として2小節（第17～18小節）のまとまりが加わることによって、音楽は落ち着きます。

アウフタクトから始まるまとまりが多く含まれています。特に、第3小節「はゆる」、第4小節「のやま」など、言葉を明確に伝える練習をしましょう（第Ⅱ部第1章1（2）参照）。音符に続くアウフタクトの場合も、休符後の歌い出しの要領で、その前の拍を強く感じて、乗り遅れないように歌ってください。

譜例20 《スキーの歌》文部省唱歌／林　柳波 作詞／橋本国彦 作曲

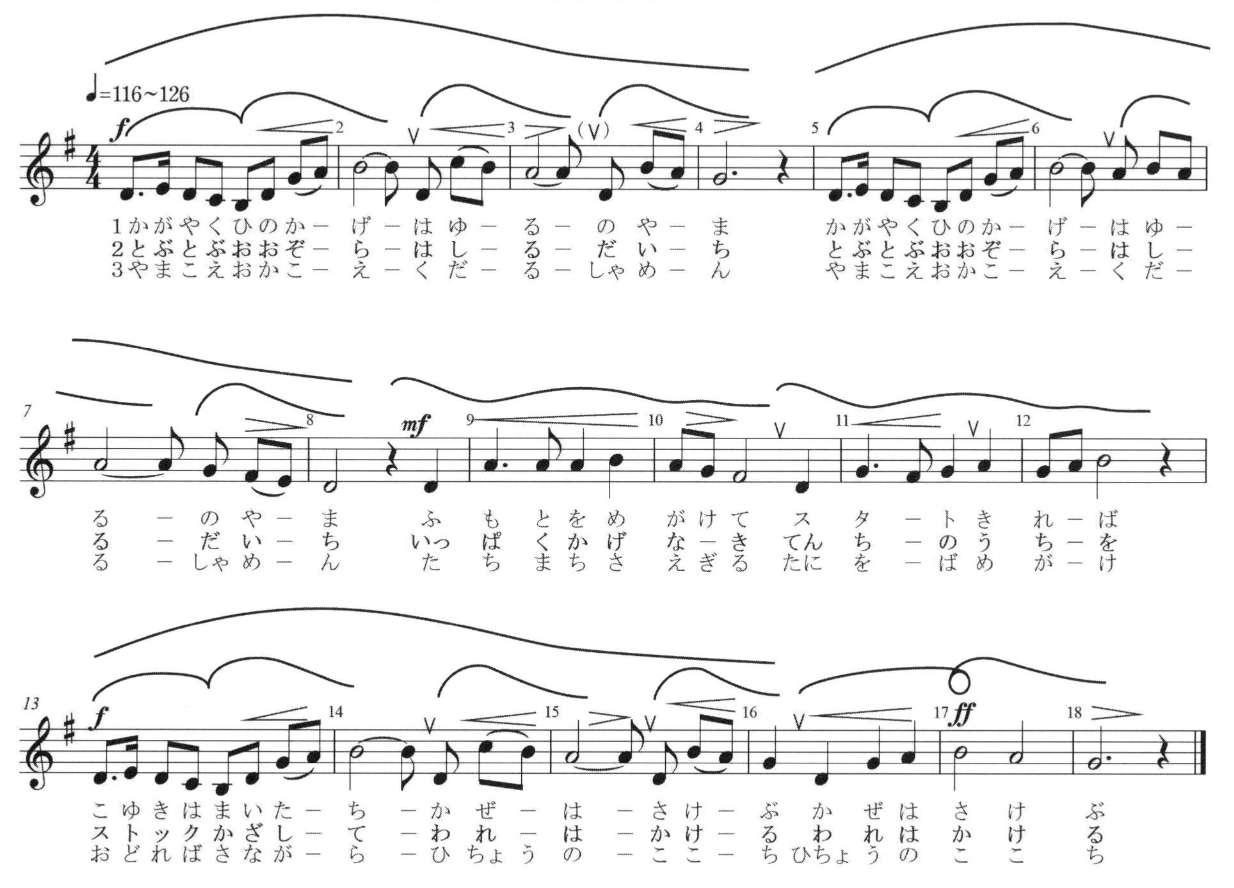

4.《冬げしき》――メロディの輪郭

1913（大正2）年の『尋常小学唱歌　第五学年用』に掲載された曲で、初冬の情景が描かれ、1番は朝の海辺、2番は昼間の山や畑、3番は夕方の村落の様子が歌われます。文語調の歌詞の意味をよく理解しましょう。4小節のまとまりが4回続きますが、後半の8小節は一つのまとまりとして感じることもできます。第8、16小節に終結感があります（譜例21）。

第1～2、3～4小節のまとまりが合わさって、最初の4小節のまとまりとなります。第1～2小節のまとまりの重心（第2小節1拍目）は、山型の輪郭の頂点と一致しており、第3～4小節の重心は、第3小節1拍目になります。前半は自分の気持ちや情景を聴く人に伝えようとする表現、後半は自身に確認するかのような、内への表現になっています（第Ⅱ部第1章3参照）。第9～12小節の重心（第11小節）は、山型の輪郭線の頂点とも一致した外への表現となり、第13～14、15～16小節のまとまりは、下行していく輪郭を持ち、高揚感は段階的に静まっていきます。第1～2、5～6、9～12小節（「さぎりきゆる」「ふねにしろし」「ただみずとりのこえはして」）という、「聴く人に伝えたい」部分を続けて歌ってみて、全体の構成を感じ取りましょう。

譜例21 《冬げしき》文部省唱歌

第7章●第6学年共通教材

1.《越天楽今様》——雅楽の音階

今様は平安時代中期に興った七五調の4句を基本とする歌謡で、この曲は有名な雅楽の《越天楽》のメロディに、慈鎮和尚（慈円）の歌を当てたものです。4小節のまとまりがくり返され、2+2+4の8小節のまとまりが続きます（譜例22）。曲は雅楽の律音階でできていて、「ラ」の音で終わっています（第Ⅱ部第2章2（6）参照）。第1〜4小節の重心は第3小節に、第5〜8小節の重心は第7小節にあります。第9〜10、11〜12小節と2小節のまとまりを積み重ね、第13〜14小節の曲全体のもり上がりに向かいます。

譜例22 《越天楽今様》慈鎮和尚 作歌／日本古謡

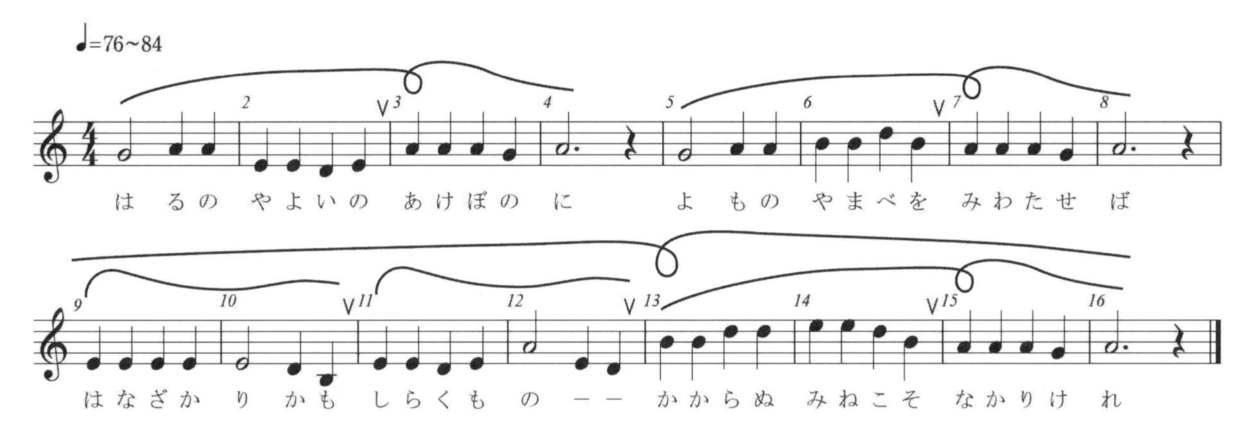

2.《おぼろ月夜》——弱起の曲

1914（大正3）年の『尋常小学唱歌　第六学年用』に掲載された曲です。4小節のまとまり四つから成り、第8、16小節に終結感があります（譜例23）。アウフタクトから始まり、言葉のまとまりの途中に小節線が引かれています。空間的な上下の感覚を感じることによって発音し、言葉の途中の音にアクセントがつかないように注意しましょう（第Ⅱ部第1章1（2）参照）。第9〜10小節が音楽のもり上がりの頂点です。第3〜4、7〜8、11〜12、15〜16小節、「いりひうすれ」「かすみふかし」「そらをみれば」「においあわし」と繋げて歌ってみると、4小節のまとまり同士の関係がわかり、音楽の流れをつかむことができます。

譜例23 《おぼろ月夜》文部省唱歌／高野辰之 作詞／岡野貞一 作曲

3.《ふるさと》──まとまりの長さによる変化

1914（大正3）年の『尋常小学唱歌　第六学年用』に掲載されました。第8、16小節に終結感のある曲です（譜例24）。同じリズム・パターンを持つ4小節のまとまり、第1〜4、5〜8小節のメロディの後、第9〜12小節ではまとまりの長さが短くなって音楽は活発になり、第13〜16小節で冒頭4小節のリズム・パターンに戻って、音楽は落ち着きます。後半の8小節のメロディは山型の輪郭線を持ち、一つの大きなまとまりとして演奏できます。

第3小節の最初の音「ラ」が、第2小節の中にさりげなく配置されることによって、第1〜2、3〜4小節二つの音のまとまりが、自然に関係づけられています。第3〜4小節の末尾、「かのやま」の「やま」に割り当てられた「シ♭-ド」は次の音のまとまりを紡ぎ出します。また、第7小節最初の「ソ」と第8小節最初の「ファ」が、第9小節の最初の二つの音となっていて、「ソ」「ファ」の出現する間隔の短縮が第9小節のスピード感を生み出す一つの要因となっています。第9小節と第10小節のメロディは同じリズム・パターンを持ち、1小節のまとまりのくり返し、第11〜12小節はこのリズム・パターンが延長された2小節のまとまりとなっています。

譜例24　《ふるさと》文部省唱歌／高野辰之 作詞／岡野貞一 作曲

4.《われは海の子》——メロディやリズム・パターンのしりとり

1910（明治43）年の『尋常小学読本唱歌』に掲載された曲です。文語調の難解な歌詞で、現在は3番までが教科書に掲載されています。2小節のメロディが二つで4小節となり、二つ目と四つ目の4小節のまとまりは同じメロディで、第8、16小節に終結が感じられます（譜例25）。8小節のまとまりがくり返されて、全体が構成されると捉えることができます。

第1〜2小節、言葉のまとまりとしては、「われは」「海の子」と二つに分けることができますが、「われは」の「わ」に当てられた音は2分音符で長いのに対し、「れ」「は」に当てられた音は4分音符と短く、音楽的には次の長い音、第2小節最初の「うみのこ」の「う」に当てられた付点4分音符と結びつきます（第Ⅱ部第1章4（2）参照）。ゆえに、第1〜2小節を二つに分けることはできません。第3小節は第2小節のリズム・パターンを受け継いでメロディを発展させ（第Ⅱ部第1章5（2）参照）、4小節のまとまりの重心となります。第1〜2小節の後、少し間をあけて3〜4小節を歌ってみて、第2小節から第3〜4小節のメロディが紡ぎ出されるように感じてみましょう。第1〜4小節のまとまりの最後の二つの音「シ」「ラ」によって、第5小節は開始されます。先行するまとまりの末尾の音を次の始まりの音とすることにより、メロディが自然に受け継がれるさまを確認しましょう。

譜例25 《われは海の子》文部省唱歌

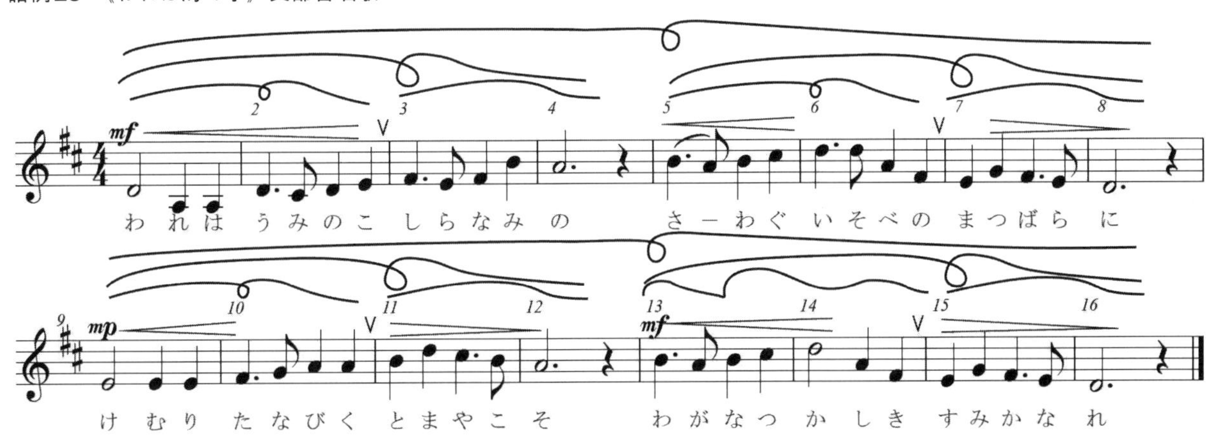

第8章●中学校共通教材

1.《赤とんぼ》

《赤とんぼ》は、「赤い鳥」運動に参加した詩人の三木露風（1889-1964）が1921（大正10）年に発表した詩に、山田耕筰（1886-1965）が曲をつけたものです。5歳の時に両親が離婚して、祖父に引き取られて育った露風が、子守りの姐やにおんぶされて見た赤とんぼや、故郷の兵庫県たつの市の情景が歌われています。

曲は一部形式（第Ⅱ部第2章5（4）a参照）でできています（譜例26）。歌詞と音の両面から最初の2小節はまとまりますが、第2小節2拍目に*mf*が書かれ、明確なアクセントがなく、第2小節が第1小節よりも高揚感が大きいことから、1小節を1拍とする2拍子です（第Ⅱ部第2章4（3）参照）。第3～4小節は重心（アクセント）が第3小節にあり、1小節を1拍とする2拍子です。また、「あかとんぼ」の「あ」に割り当てられた「ド」は直前の第2小節第2拍裏に配置され、「かとんぼ」の音は、第1～2小節の「ゆうやけこやけ」の「うやけこ」の音と同じです。意識されない音を共有し、自然なメロディの流れを持つ4小節のまとまりをつくっていることから、1小節を1拍とする4拍子として捉えることもできます。

第5～6小節は、第1～2小節とリズム・パターンが似ていますが、第6小節の最初に重心（アクセント）を持つ、4分音符を1拍とする6拍子と捉えられます。第7～8小節のまとまりは第6小節の最後の「シ♭-ソ」から紡ぎ出され、1小節を1拍とする2拍子です。

譜例26 《赤とんぼ》三木露風 作詞／山田耕筰 作曲

2.《夏の思い出》

《夏の思い出》はニ長調4分の4拍子、二部形式（第Ⅱ部第2章5（4）a参照）の曲です（譜例27）。第1～2小節では、第1小節の最初に8分休符があり、この休符を強く感じて、「なつが」の言葉をはっきりと歌いましょう（第Ⅱ部第1章1（3）参照）。フレーズの重心は、第2小節最初「おもいだす」の「お」に割り当てられた「ミ」の音にあります。この音は2小節の中で最も低い音で、自分自身に対してそっと歌ってください。第3小節の重心は第3拍、「おぜ」の「お」に割り当てられた「ラ」の音にあります。一番高い音が重心と一致し、聴いている人に伝えたい素直な感動を表現する部分です。第4小節は、第3小節から引き出された連想で、重心は第4小節の最初「とおいそら」の「と」に割り当てられた「ファ♯」の音にあります。第3～4小節のまとまりの重心はこの部分で、第2小節と同じくそっと歌うような表現です。

第9～10小節は、「みずばしょうの」「はなが」「さいている」の三つのまとまりに分けることができます。「みずばしょう」の部分は、第3拍「う」の部分が音高の頂点で、音量も大きいと思われますが、言葉の途中ですので、アクセントがつかないよう、なめらかに歌ってください。次に続く「はなが」の部分は、4拍目のアルシス（上）の感じを強調することによって、言葉の最初をはっきりと歌います（第Ⅱ部第2章4（2）参照）。それに続く「さいている」の部分は、通称、「エコー・フレーズ」と呼ばれているもので、「はなが」につけられたメロディが、山彦のように返ってきます。第11～12小節の重心は、第12小節の最初の音にあります。第12小節だけを見れば、「みずのほとり」の「ほ」に割り当てられた「ミ」の音に重心があり、「ほとり」は第13小節に繋げていくことを意識しましょう。

第9小節からは合唱です。第9小節は「ソ、シ、レ」の和音です。伴奏の中の低音「ソ」次に「レ」を重ね、そのサウンドに溶け込むように下のパートの「ソ」を発音し、最後に上のパートの「シ」を加えるというような練習をすることによって、美しいハーモニーをつくることができます。

譜例27 《夏の思い出》江間章子 作詞／中田喜直 作曲

3.《花》

《花》はト長調、4分の2拍子、二部形式（第Ⅱ部第2章5（4）a参照）の曲で、4小節のまとまりが四つです（譜例28）。最初の4小節を細かく見れば、「はるの」「うららの」「すみだがわ」というまとまりがあります。意味を聴き手に伝えるためには、言葉の最初の音を明確にする必要があります。その他の部分も二つの方法を使い分けて、言葉をはっきり歌いましょう。4小節を大きなまとまりとする場合は、第3小節が重心となります。「はるの」の「は」は、強拍で始まりますが、「うららの」は2拍目の裏拍から始まっています。2拍目はアルシス（上）、1拍目はテージス（下）にあたり、「う」に割り当てられた音の、空間的に「上にある」感じを強調し、次に続く強拍の音にアクセントがつかないよう、注意する必要があります（第Ⅱ部第2章4（2）参照）。その他の部分も、二つの方法を使い分けて、言葉をはっきり歌いましょう。4小節を大きなまとまりとする場合は、第3小節が重心となります。

第9～12小節では、「かいの」「しずくも」「はなとちる」の三つのまとまりから成ります。大きなまとまりと捉える場合は、第9小節が緊張の頂点で、その後次第に緩んでいきます。第13～16小節では、「ながめをなにに」「たとうべき」という二つのまとまりがあります。第13～14小節のまとまりの重心は第14小節の最初に、第15～16小節では第15小節の最初にあります。4小節の大きなまとまりでは、第15小節が重心です。曲全体が大きな一つのまとまりとすれば、最ももり上げたい部分は第9小節です。そこに向かっていくために、「すみだがわ」「ふなびとが」「かいのしずくも」の部分を続けて歌い、まとまりの大切な部分（重心）同士の関係をつかみましょう。

次に各パートを歌い、お互いを聴き合って、まとまりのある合唱にしましょう。上に述べた小さなまとまりをパートで交互に歌い、なめらかに繋がって聞こえてくるように練習する方法が効果的です。例えば、第1～4小節では、「はるの」は上のパート、「うららの」は下のパート、「すみだがわ」は上のパート、2回目は逆、というような練習をします。

美しいハーモニーを奏でるためには、伴奏の低音との関係を感じることが大切です。第1小節最初の「レ」の音の背景には、「ソ、シ、レ」の和音があり、伴奏にある低い「ソ」の音をピアノで鳴らし、その音と溶け合うことを意識して、「レ」の音を歌ってみましょう。曲の節目で、そのような練習をします。例えば、第4小節の上のパート「ラ」、下のパート「ファ♯」は「レ、ファ♯、ラ」の和音の音で、ピアノ伴奏にある、低い「レ」を鳴らし、「ラ」「ファ♯」の順に入ってきて、ハーモニーを整えてください。

アンサンブルにおいては、短い音を歌うパートに長い音を歌うパートが合わせるという原則があります。例えば第7～8小節の「ふなびとが」の「びと」の部分では、上のパートがメロディでも、下のパートの部分がより細かい16分音符で歌うので、下のパートの動きをよく聴いて、上のパートが合わせて歌います。

譜例28 《花》武島羽衣 作詞／瀧 廉太郎 作曲

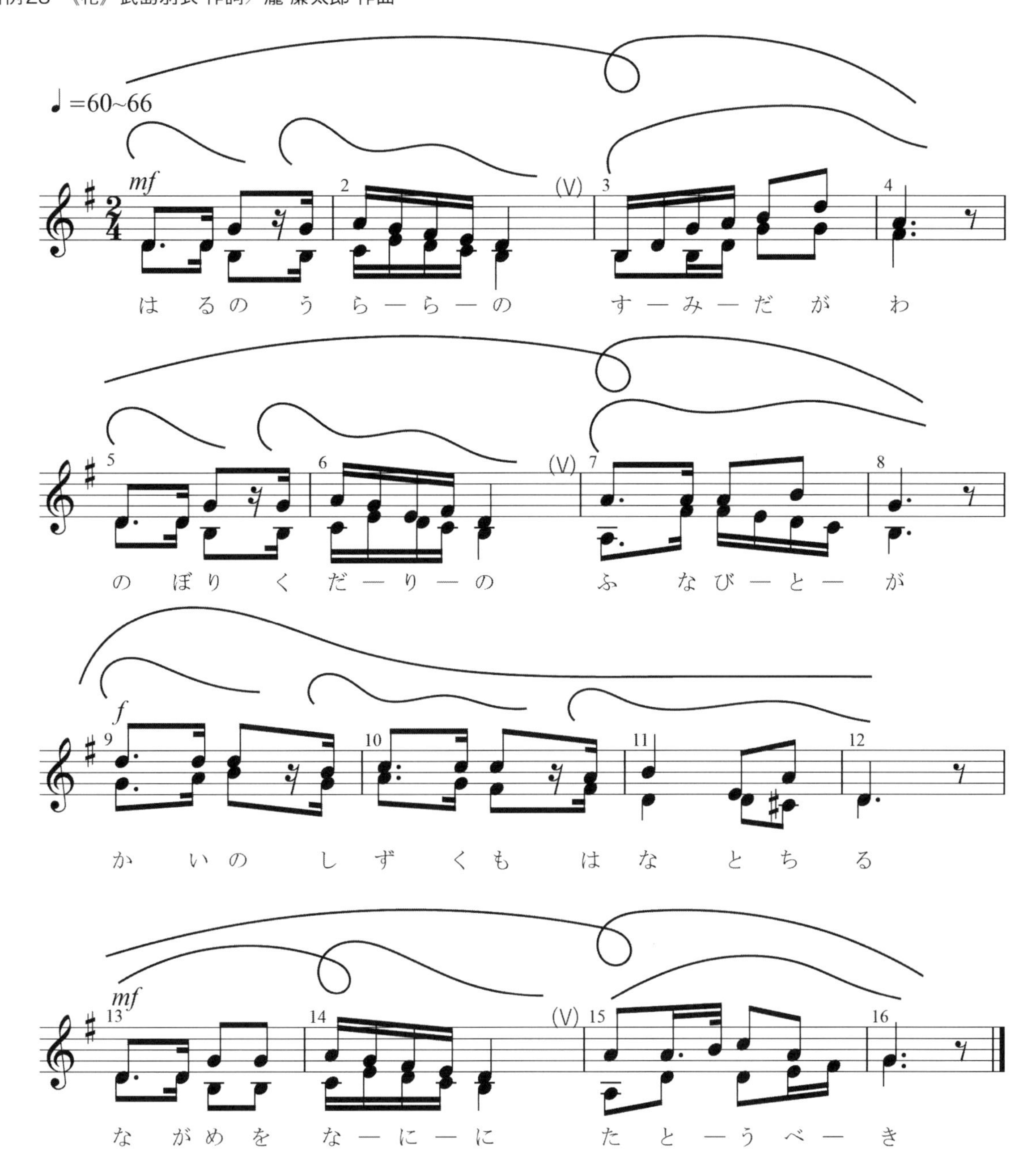

4.《花の街》

《花の街》は（4+2+3）+（2+2+4）+（2+3）の合計22小節からなります（譜例29）。第1～9小節は、一つのまとまりと考えることができます。4小節のまとまりで始まり、2小節（第5～6小節）の短いまとまりとなって活発になり、3小節（第7～9小節、1小節を1拍とする3拍子）に延びて落ち着きます。第1～4小節は、1小節を1拍とする4拍子と捉えられますが、最高音「ド」は、「たにを」の「を」に割り当てられていて、強調することができません。第1小節冒頭の8分休符を強く感じ、その反動で言葉の始まりをはっきり歌い、第3小節を中心に自然な声の広がりとなるように工夫しましょう。第5～6小節は、1小節を1拍とする2拍子として表現することができます。第3～4小節の「ファ」「レ」から紡ぎ出されたフレーズは、「レ」の音のまわりを廻り、「レ」を受け継いで、第7～9小節のメロディとなります。

第9小節の「ファ」の音から導かれる第10～11小節は、4分音符を1拍とする4拍子で、第11小節第1拍が重心となりますが、言葉の途中で、やわらかいふくらみのある声の表現です。第13小節の最後の「ミ」から紡がれている第14～17小節のまとまりは、第16～17小節が一つの長い音ですので、2小節を1拍とする2拍子として感じられます。第11小節1拍目「ソ」、第13小節1拍目「ラ」は、第8小節「ソ」「ラ」を受け継ぎ、さらに「ラ」は第15小節に受け継がれて、メロディはクライマックスに至ります。第18～19小節は第17小節の「ド」から紡がれ、第20～22小節で静まっていきます。

譜例29 《花の街》江間章子 作詞／團 伊玖磨 作曲

第Ⅱ部
音楽表現の方法

第1章　音楽を感じとるには？

1. メロディの三つの始まり方

メロディの始まり方は、三つのパターンに分類することができます。それぞれのパターンには、ふさわしい表現の方法があります。日本語による歌唱の場合には、言葉をはっきりと伝えることと、音楽的表現とのすり合わせが必要になります。

(1) 強拍から始まるメロディ

第Ⅰ部で取り上げた歌唱教材の中で最も多いのが、このタイプです。《うみ》《かたつむり》《日のまる》《ひらいたひらいた》《かくれんぼ》などは、言葉のまとまりの開始部分が小節の第1拍に割り当てられており、言葉をはっきり伝えるために、第1拍の強さを利用することになります。

(2) アウフタクトから始まるメロディ

小節線の直前の拍は、弱拍ですが、ドイツ語ではアウフタクトと呼ばれます。「アウフ」は「上」、「タクト」は「拍」のことで、日本語では「上拍」と訳されています。小節の第1拍は「下拍」です。一般に、拍子は強弱の交替として捉えられがちですが、空間的な運動、すなわち上下の交替でもあるのです（第Ⅱ部第2章4（2）参照）。小節線の直前の拍は空間的に上方にあり、小節線直後の第1拍で下方におりてきます。足を上にあげ、足をおろすという動きを想像してみてください。足をおろすときに踏み込むと第1拍のアクセントになりますが、そっと足をおろすと第1拍であってもアクセントはつきません。つまり、アクセントがある強拍とアクセントのない強拍があるのです。

言葉が弱拍から始まる場合、日本語の歌詞をはっきりと伝えるために、拍の空間的な感じ方を利用します。アウフタクトの音が上方にある感じを強調し、次にくる強拍が言葉のまとまりの途中、あるいは最後の音節（第Ⅱ部第1章2（1）参照）にあれば、そっとおりて、強拍にアクセントがつかないようにする必要があります。《おぼろ月夜》（譜例23）は、曲全体を通して、このような表現の必要がありますし、《まきばの朝》（譜例16）や《スキーの歌》（譜例20）などにも、アウフタクトから始まるメロディが含まれています。

(3) 小節の最初の休符に続くメロディ

《茶つみ》（譜例11）や《子もり歌》（譜例19）のように、小節の第1拍が休符で始まり、その次の音から言葉のまとまりが開始される場合があります。休符を身体で感じてから歌い出すことによって、言葉をはっきりと発音し、伝えることができます。

2. メロディの二つの終わり方

一般に、音のまとまりの最後の小節が一つの音で終わる場合には、第1拍であってもアクセントはつけずに演奏します。それに対して複数の音で終わる場合には、小節の第1拍にアクセントが生じます。

(1) 一つの音で終わる場合

音のまとまりの最後の小節が一つの音で終わる場合は、《うみ》(譜例1) の第4、8小節のように、最後の小節の第1拍が語の末尾と一致します。この場合、「第1拍であってもアクセントはつけずに演奏する」というのは、日本語の表現にふさわしいでしょう。

(2) 複数の音で終わる場合

音のまとまりの最後の小節が複数の音で終わる場合、《春の小川》(譜例12) の第4小節 (「いくよ」の部分) のように、最後の小節の第1拍に言葉の最初の音が割り当てられていれば、第1拍にアクセントをつけて演奏することができます。しかしながら、《もみじ》(譜例17) の第2小節 (「(あきのゆう)ひに」の部分) のように、第1拍が言葉の途中の場合には、最後の小節が複数の音で終わる場合でも、言葉の表現を優先させると、第1拍にアクセントをつけることはできません。これは日本語の言葉の性質からくる表現方法です。

3. メロディの輪郭

メロディの輪郭と音のまとまりの重心を重ね合わせることによって、大まかな演奏表現を感じることができます。メロディの音が高くなれば音楽はもり上がり、低くなっていけば静まるというのが、私たちが共有している感覚です。「もり上がる」とは外 (聴いている人) に向かって訴えかける力、表出する力であると言えるでしょう。

音のまとまりの重心とメロディの輪郭の頂点とが一致すると、はっきりとした迷いのない、外に向かって宣言するような表現で、逆に重心に割り当てられている音が低い場合は、自身に歌いかけるような内面的な表現になります。《日のまる》(譜例3) は主音で始まり、第9小節の「レ」を頂点として、再び主音に戻るという、山型のメロディの輪郭を持っています。第1〜4、5〜8小節は、音のまとまりの重心とメロディの輪郭の頂点とが一致するタイプであり、外に向かった決然とした表現です。第13〜16小節の重心を第15小節に設定すれば、重心とメロディの輪郭の頂点とは一致せず、第15〜16小節の「はたは」は、内面的な感慨の表現となります。重心が第13小節にあると考えれば、音のまとまりの重心とメロディの輪郭の頂点とが一致し、「にほんの」を聴く人にはっきりと伝える表現になります。音楽の表現は一通りではありません。実際に歌ってみて、納得のいく表現を探しましょう。

4. 音のまとまり

人が一度に覚えられることは限られています。瞬間的な記憶は、すぐに忘れられる記憶でもあり、短期記憶と呼ばれています。今得られた記憶は、次の記憶と結びつけられた後、消えていきます。私たちは、短期記憶を鎖のように繋ぎ合わせて、ものごとを理解しているのです。音楽における短期記憶の範囲は3〜5秒で、私たちは、その範囲にある音のまとまりを感じ取り、直前に聴いた音のまとまりと関係づけて音楽を理解していきます。短期記憶の範囲にある音のまとまりは一様ではなく、1小節、2小節、4小節のものなど、多様です。そして、短期記憶であった音のまとまりは、くり返されることによって、忘れられることのない記憶として定着していきます。短期記憶の連鎖だけではなく、この定着した記憶や、過去に積み重ねられてきた体験が思い起こされ、短期記憶の範囲を超えた、まとまりを感じとることもできるようになります。

音のまとまりには、中心となる音 (または部分) があります。本書では、状況に応じて、この中心となる音や部分を「音のまとまりの重心」「メロディの山」などと呼んでいます。複数のまとまりが集まって、より大きな音のまとまりができるので、解釈により、まとめ方が短くなったり、長くなったりします。まとまり方の解釈が異なれば、重心も移動します。

(1) 音楽の句切れ感

休符や相対的に長い音は、区切れを感じさせ、音のまとまりを生み出します。例えば、《うみ》の第4、8小節（譜例1）では、「おおきいな」の「な」に当てられた2分音符とその後の4分休符に区切れを感じ、4小節の音のまとまりを感じることになります。この「長い音＋休符」の例は、第Ⅰ部で取り上げたほとんどの曲の中に見ることができます。

休符がなく、長い音符だけであっても、例えば、《さくらさくら》（譜例14）の第1、2、4小節の2分音符には、区切れを感じます。また、小節の途中でも、《スキーの歌》の第2、3、6、7小節のタイで繋がった2分音符+8分音符に、区切れを感じます（譜例20）。

(2) 近くにある音

時間的に近い音は、まとまります。つまり、「短い音は次の長い音とグループをつくる」わけで、「間隔が短い音はまとまる」と捉えることは、音楽表現にとって本質的に重要です。

《春がきた》（譜例6）の第3～4小節では、「どこにきた」の「き」は8分音符、「た」は付点2分音符で書かれていて、「どこに」の「に」よりも、「き」は時間的に「た」と近くにあり、「きた」が一つのまとまりになります。つまり、8分音符（短い音符）は、次の付点2分音符（長い音符）とまとまりをつくります。

短い音符の数が複数でも、同じようなまとまり方をします。《虫のこえ》（譜例7）の第3～4小節、「ないている」の「ないてい」に当てられている8分音符（群）（短い音符）は、「る」に当てられている4分音符（次の長い音符）とグループになります。

(3) 言葉のまとまりと音のまとまり

このように、「短い音は次の長い音とグループをつくる」ことが、音のまとまりの原則です。しかしながら、言葉のまとまりと音のまとまりとが一致しない場合があります。例えば、《とんび》（譜例15）の第3～4小節は、「そらたかく」の「らたかく」がまとまることになってしまい、不自然です。小さな音のまとまりが集まり、大きなまとまりをつくっていくと考え、音と言葉両方のまとまりが成り立つように、「そらたかく」は、区切ることのできない一つのまとまりと捉えましょう。

《おぼろ月夜》（譜例23）の第1～2小節、「なのはなばたけに」においても、「なのは／なばたけに」となってしまいます。言葉のまとまりを分断しないように、「なのはなばたけに」を一つのまとまりと捉えますが、その場合も、「短い音は次の長い音とグループになる」という原則を意識することによって、いきいきとした表現になります。

同じようなことは、《かたつむり》、《かくれんぼ》、《こいのぼり》の16分音符の演奏についても言えます。《かくれんぼ》（譜例5）の第1～2小節も、16分音符は次の付点8分音符とグループを作りますから、「か｜くれん｜ぼす｜るも｜の」（最後の「の」は第3小節の最初の音とまとまります）というようなまとまりを、どこかで感じておくとよいでしょう。

(4)「音のまとまり」が生み出すアゴーギク

音楽において、「（時間的な）長さ」は音楽の速さと直接に関係します。例えば、4分音符が1分間に96という意味では、同じ速さであっても、単位が短ければ、音楽は速く、長くなれば遅く感じられます。つまり、4分音符が1拍の音楽では、1分間に96拍の速さですが、2分音符が1拍の音楽では、1分間に48拍の速さになり、遅くなるのです。

同じように、音のまとまりも長さの単位となりますから、2小節よりも、4小節のまとまりの方が、遅く感じられます。アゴーギクは「緩急の効果」のことです。「音のまとまり」の配置を考えることによって、音楽のアゴーギクを設計することができます。例えば、《スキーの歌》（譜例20）では、第1～2小節の2小節のまとまりの後に、1小節のまとまりが2回続き、まとまりの長さが短くなることにより、加速感が生まれます。

(5)「音のまとまり」の配置の型

音のまとまりを演奏する時間（長さ）を感じるためには、同じ長さのまとまりが2回くり返される必要があり、くり返しに注目すれば、「音のまとまり」の配置には、パターンがあることに気づきます。《春の小川》（譜例12）では、4小節のまとまりが4回くり返され、同じ長さのまとまりが続くことにより、安定したテンポ感が形づくられていることが実感できます。

《春がきた》（譜例6）では、1小節のまとまり（「はるがきた」）がくり返され、3回目は2小節のまとまりとなります。「はるがきた」を2回歌うことによって得られた、1小節のまとまりによるテンポ感が、3回目のまとまりの長さの変更によって、遅くなる（落ち着く）方向へ変化します。1+1+2小節の構成は1：1：2の配置の型で、この型は2+2+4小節、4+4+8小節というように長さを変えて、さまざまな曲の中に現れます。

《茶つみ》（譜例11）は、4小節のまとまりが4回くり返されますが、後半をまとめ、4+4+8小節（1：1：2の型）として演奏することもできます。《ふじ山》（譜例13）、《こいのぼり》（譜例18）も同様で、メロディの輪郭などのヒントから、このような解釈が可能になります。

5. 音楽の自然な流れ

次々と現れてくる音のまとまりを聴き比べ、私たちは、音楽を把握しようとします。短期記憶（一度に覚えることができる範囲）にある音のまとまり同士を関係づけて、音楽を理解しているのです。その瞬間に聴いている音のまとまりを、先行する音のまとまりと（意識的、あるいは無意識的に）関係づけることによって、音楽の流れを感じ取っていきます。具体的には、音高、音高の組み合わせ、メロディやリズムのパターン、メロディの輪郭（上がり下がりの具合）などの関係を常に探り、そこに共通するものを感じると、自然な音楽の流れとして受け取ります。

私たちは、「音のまとまり」の最初の部分を意識的に聴き、途中の部分や最後の部分は聞き流す傾向がありますので、始まりの部分が同じであれば、同じメロディであると感じ、異なっていれば新しいメロディが始まったと感じます。しかしながら、新しいメロディでも、実は先行する音のまとまりの意識しない部分から、メロディが生み出されている場合がほとんどですから、無意識に聞いている音を確認し、まとまり同士の関係を理解することによって、自然で、説得力のある表現を行うことができます。ここでは「音のまとまり」を関係づけるポイントについて、整理しておきたいと思います。

(1) 開始部分の一致

私たちは、開始部分のメロディが共通であれば、メロディ全体が同じであると感じます。例えば、《とんび》（譜例15）の第1〜4、5〜8、13〜16小節のメロディは、ほとんど同じように聞こえます。《こいのぼり》（譜例18）の第1、3小節では、先行するまとまりの最初の部分から、続くまとまりが紡ぎ出されています。

また、《スキーの歌》（譜例20）の始まりの音「レ」から、二つ目のまとまり「はゆる」のメロディは紡がれています。このように、先行するまとまりの始まりの音や最初の部分から、次の音のまとまりが発展する場合があります。

(2) 音やリズム・パターンの「しりとり」

先行するまとまりの後半部分のメロディや音列、リズム・パターンなどが、後続するまとまりの開始部分に受け継がれることがあります。まとまりの末尾の音（群）から、次のまとまりが開始される場合は多く、例えば、《ゆうやけこやけ》（譜例8）の第8小節最後の音「ド」から第9小節の新しいメロディが紡ぎ出され、《茶つみ》（譜例11）では第2小節のリズムを用いて、第3小節からのメロディのまとまりは開始されます。

　また、それに準じる方法として、無意識に聞いている音から、後続するまとまりが開始されることがあります。例えば、《ふるさと》（譜例24）の第7小節最初の「ソ」と、第8小節最初の「ファ」は、第9小節からのまとまりの最初の音となっています。

(3) 無意識に聞いているもの同士の一致

《われは海の子》（譜例25）は、8小節のまとまりが二つでできています。私たちは、それぞれのまとまりの最初の「われはうみのこ」と、「けむりたなびく」の部分を注意して聴きますので、この二つのまとまりが異なっているように聞こえますが、それぞれの後半部分（第5〜8、13〜16小節）は同じです。このように、あまり意識せずに聞いてしまいがちな部分を一致させ、二つの音のまとまりを関係づける方法があります。

第2章●音楽の知識

西洋音楽の楽譜は、音楽を記録するのにすぐれていますので、音楽の理論と私たちが思い込んでいるものは、音楽そのものではなく、記譜についての理論であったりします。メロディ、ハーモニー、リズムは「音楽の3要素」と呼ばれています。本章では、この3要素に形式を加え、理論的な側面から整理しておきたいと思います。

1. メロディ

音楽を聴くとき、私たちは次々に現れてくる音を関係づけようとします。メロディ・ライン（旋律線）という言葉があるように、「ある音が現れ、次の音が受け継いでいく」という音の連続から、私たちは「線」を感じとっています。

2. 音階

音楽のスタイルを背景に、用いられる音を高さの順にならべたものが「音階」です。音階を「ド」「レ」「ミ」「ファ」「ソ」「ラ」「シ」の七つの音の相互の関係としてみれば、「レ」音の上下それぞれに、三つの完全5度を積み重ねた結果として、捉えることができます（譜例30）。もとにした「レ」の音から始め、オクターブの中に収めて並べると、譜例31の音階となります。

譜例30　完全5度の堆積

譜例31　完全5度の堆積からつくられる七音音階

また、「レ」の上下それぞれ二つの完全5度の音を、「レ」から上方に並べていけば、譜例32の五音音階が得られます。後述する「律のテトラコルド」が二つ結合された音階です。

譜例32　5度の堆積から作られる五音音階

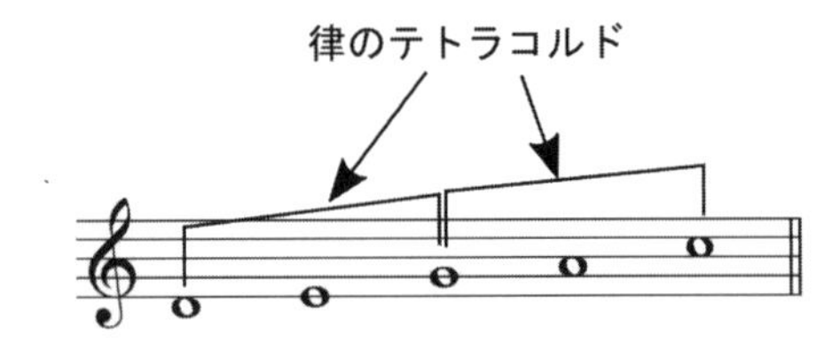

（1）教会旋法

譜例31に記した七つの音は、すべてが同じ役割を持っているのではなく、音楽の中でメロディの味わいを決定づける関係がつくられ、その関係のもとで用いられることになります。その関係性は「旋法」と呼ばれ、一般には、メロディの終止音やメロディの音域の広がり方、中心となる音の違いなどで区別されています。

中世から16世紀頃までは、教会旋法が重要な役割を演じていました。「レ」を終止音とする旋法が2

種類、「ミ」を終止音とする旋法が2種類、「ファ」を終止音とする旋法が2種類、「ソ」を終止音とする旋法が2種類、合計8種類の旋法です。

ここでは、「レ」を終止音に持つイギリスの伝統的なバラッド、《スカボロー・フェア Scarborough Fair》を挙げておきましょう（譜例33）。

譜例33《スカボロー・フェア Scarborough Fair》

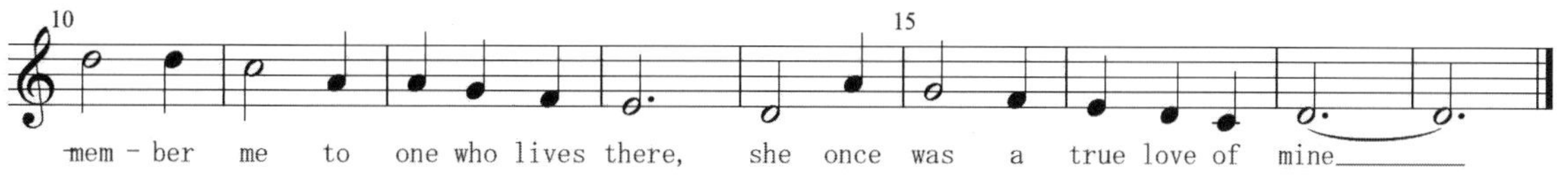

（2）長調・短調の音階

譜例33は「ドリア旋法」です。ドリア旋法は、「シ」の音（第7小節）を半音下げて「シ♭」とすることにより、ニ短調になります。臨時に音が変更され、教会旋法の音階は、次第に、私たちに馴染み深い長調・短調という、2種類の音階にまとまっていきました。

（3）日本の音階――せまい音階

音階には主音（中心となる音）があり、メロディは主音で終止します。西洋の音楽では音階の中に一つの主音がありますが、西洋以外の音楽では、中心となる音が複数ある場合もあり、そのような音を「核音」と呼びます。

まず、隣り合った二つの音、あるいは三つの音でできた、せまい音域の音階を見ていきましょう。隣り合った二つの音でできた音階では、上の音が核音となります（譜例34）。隣り合った三つの音でできた音階では、真ん中の音が核音となります（譜例35）。

譜例34　二音音階

譜例35　三音音階

（4）日本の音階――テトラコルド

二音音階、三音音階よりも音域が広がると、完全4度の枠組みを持ち、中間に一つの音がある3音の音階になります。4度の枠組みをつくる両端の音が核音で、このような音階を「テトラコルド」と呼びます。中間音の位置によって4種類のテトラコルドがありますが（譜例36）、実際の音楽では、テトラコルドの上下に音が付加されたり、テトラコルドが積み重ねられたりします。

譜例36　テトラコルド

(5) 日本の音階――オクターブ音階

異なるテトラコルドが積み重ねられる場合もありますが、同種のテトラコルドが二つ、全音間隔で積み重ねられた音階があります。二つのテトラコルドが全音間隔で積み重ねられると、二つの核音が隣り合うことになります。「せまい音階」の原則に従い、中間音を含んで三つの音が隣り合っている場合は真ん中の音が優位な核音となります。

民謡のテトラコルドが重ねられた音階を民謡音階（譜例37)、都節のテトラコルドが重ねられた音階を都節音階（譜例38)、律のテトラコルドが重ねられた音階を律音階（譜例39)、琉球のテトラコルドが重ねられた音階を「琉球音階」(譜例40）と呼びます。

譜例37　民謡音階

譜例38　都節音階

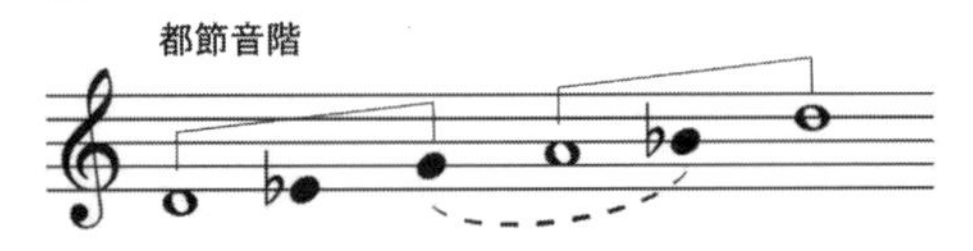

譜例39　律音階

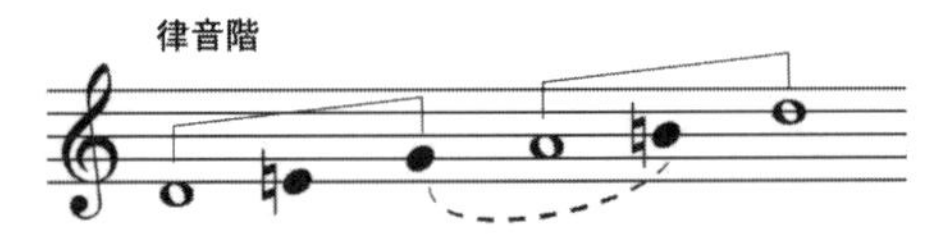

譜例40　琉球音階

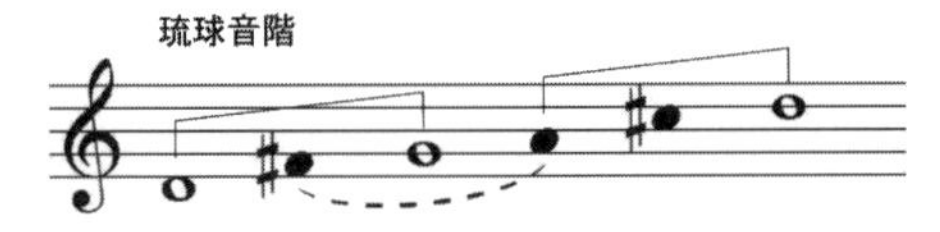

(6) 日本の音階の例

第Ⅰ部で取り上げた曲から、日本の音階でできたものを考えてみましょう。

a.《ひらいたひらいた》の音階

《ひらいたひらいた》(譜例4）の音階は、「ミ－ソ－ラ」の民謡のテトラコルドの上に「シ」が付加された音階でできています。第9小節に一か所だけ「レ」の音が現れます。譜例41では民謡音階の一部として考えていますが、「ミ－ソ－ラ」の民謡のテトラコルドに「ラ－シ－レ」の律のテトラコルドが積み重ねられた音階と見ることもできます。

譜例41

b.《かくれんぼ》の音階

《かくれんぼ》（譜例5）第1〜4小節は、「ミ－ソ－ラ」の民謡のテトラコルドでできています。第5〜6小節は「ソ－ラ－シ」の三音音階、「ミ－ソ－ラ」のテトラコルドの上に「シ」が付加された音階と捉えることもできます。第8小節が「レ」で終わっていることから見れば、第7〜8小節は「レ－ミ－ソ」の律のテトラコルドと考えられ、民謡音階の中間音が核音に読み替えられます。第9〜16小節は「ソ－ラ－シ」の三音音階です（譜例42）。

譜例42

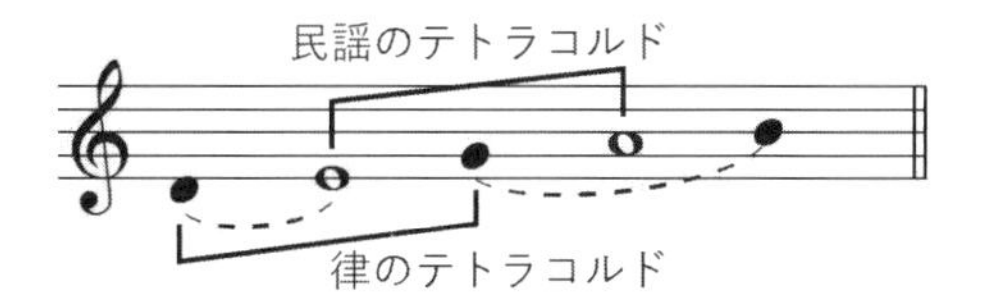

c.《うさぎ》の音階

《うさぎ》（譜例9）は「ファ」から開始されますが、この音は「ミ－ファ－ラ」という都節のテトラコルドの中間音で、第2小節の音の動きで、「シ」の音が核音であることが感じられます。第6〜9小節になって、核音「ミ」が初めて現れます。第8小節で「レ」の音が現れ、都節のテトラコルド「ミ－ファ－ラ」の下に、「レ」の音が加わっています。三音音階の法則に従い、「レ－ミ－ファ」の真ん中の「ミ」で終止します（譜例43）。

譜例43

d.《さくらさくら》の音階

《さくらさくら》（譜例14）の音階は、譜例44のようにまとめることができます。第5〜6、第13〜14小節では、核音「ミ」「シ」で終止しています。

譜例44

e.《子もり歌》の音階

《子もり歌》（譜例19）では、律（都節）のテトラコルドが重ねられた形の音階（譜例45）が使われています。メロディは核音「レ」「ソ」で終止しています。都節のテトラコルドは、両端の完全4度の真ん中にある音が半音下がっただけで、律のテトラコルドとよく似ています。歌い手の感覚によって半音上がったり、下がったりして伝承されてきたのでしょう。譜例46の半音下がった《子もり歌》（都節音階）の方に、馴染みがあるという方もおられるでしょう。

譜例45 《子もり歌》の音階

譜例46 《子もり歌》(都節音階)

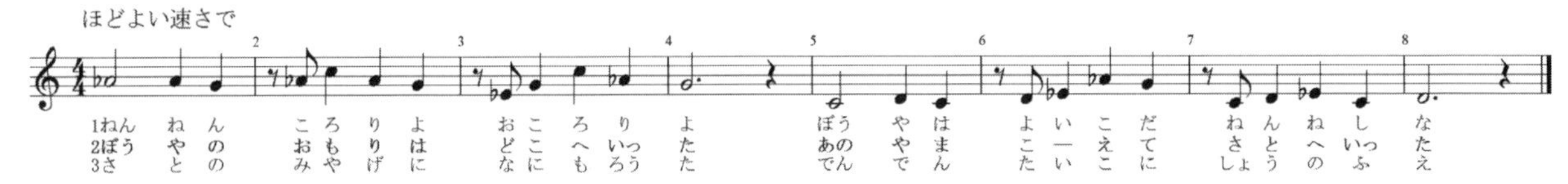

f.《越天楽今様》の音階

《越天楽今様》(譜例22) では、譜例47のような律音階が用いられ、核音「ラ」「レ」で終止しています。

譜例47 《越天楽今様》の音階

(7) 日本の音階と西洋の音階の融合――四七抜き音階

四七抜き音階は、日本音楽で述べてきたテトラコルドや日本の音階と長短調(七音音階)の音楽を融合させる方法で、長短調の4番目の音と7番目の音を抜いた五音音階です。4度の枠組みの両端にある核音ではなく、その間にある経過的な音で音楽を終え、その音を主音と見立てた音階です。つまり、民謡音階「ラドレミソラ」の順番を変え、「ドレミソラ」にして主音を「ド」にすると、ハ長調の四七抜き音階になります。

《うみ》(譜例1) や、《日のまる》(譜例3)、《とんび》(譜例15) は、四七抜き音階でメロディが構成されています。

(8) テトラコルドや日本の音階と西洋の音楽の混在

テトラコルドや日本の音階(あるいは四七抜き音階)でできたメロディの途中に、西洋音楽の音階的な動きを挿入することによって、単純な音階がとても新鮮に響きます。《かたつむり》(譜例2) は、ハ長調の四七抜き音階「ドレミソラ」で構成されているメロディに、第5小節では「ファ」が使われ、「ミファソラ」と音階的な動きになっています。

《春の小川》(譜例12) も、ハ長調の四七抜き音階「ドレミソラ」でメロディが構成されていますが、三つ目のフレーズの第11小節は「ド-ド-シ-ラ」という音階の下降形となり、その他の部分とは異なったメロディを印象づけています。

3. ハーモニー

私たちの慣れ親しんでいる音楽では、メロディは和音によって支えられています。和音が連結されることによって生じるサウンドの流れを、ハーモニーと呼んでいます。ハ長調を例に、ハーモニーについて考えてみたいと思います。

(1) 和音

和音は、3度の音程の積み重ねによってつくられます。音程とは、二つの音の距離のことで、楽譜上で同じ高さに記されるものを1度とし、距離が開いていくにつれて、度数が大きくなっていきます。

譜例48「ソ」を根音とする3和音

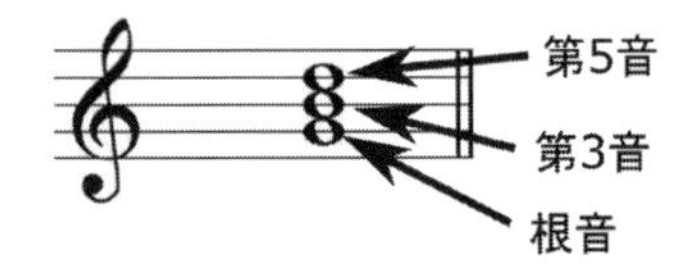

譜例48の和音は、「ソ」の音の上に、3度の関係にある「シ」「レ」の音が積み重ねられています。三つの音でつくられている和音は3和音と呼ばれ、最も低い音は「根音」、根音と3度の関係にある音は「第3音」、根音と5度の関係にある音は「第5音」と言います。

ハーモニーで用いられる和音は、音階の音を根音とする和音です。音階の音は主音から順番に音度によって表され、和音の名前も根音の音度（ローマ数字の大文字）で表されます。音度で表されますから、同じ和音であっても、調によって名前が異なります。「ソ」はハ長調の5度ですから、譜例48の和音はハ長調ではⅤ度の和音ですが（譜例49）、ト長調ではⅠ度の和音になります。Ⅰ度の和音は、「主和音」と呼ばれ、その調の性格をもっともよく表します。Ⅴ度の和音は、「属和音」と呼ばれ、主和音に進もうとする性格があります。ハ長調のⅤ度の和音「ソシレ」に3度上の音「ファ」を重ねた「ソシレファ」を「属七の和音」と呼び、長短調の音楽では、主和音に解決しようとする強い性格を持った和音です。

譜例49　ハ長調の和音

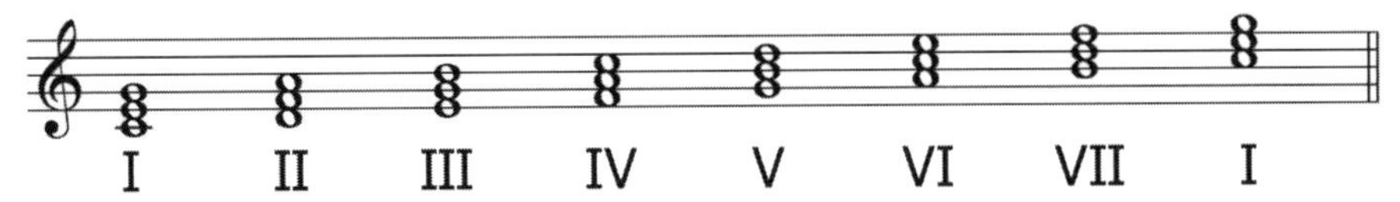

(2) 和音の連結

後に続くメロディの音が先行する音のグループにあれば、音のまとまり同士はスムーズに繋がっていきます。和音の連結についても、同じことが言えます。和音に共通音があれば、後続の和音でも同じ声部に置きますし（共通音の保留）、その他の音は距離の近い後続和音の音へと移行します。

(3) 和音の進行

クラシック音楽の和音進行は、主和音で始まり、主和音で終わる和音の流れが鎖のように連なったものです。主和音で始まり、「揺れ」の部分を経て、主和音に戻る流れは「安定→不安定→安定」と表現されます。つまり、主和音は別格で、主和音とそれ以外の和音というように大きく分けることができ、主和音の「始まり」「終わり」という二つの役割のうち、「終わり」の和音であることが本質的に重要です。そのことは主和音以外の和音から始まる作品が多くあることからも推測することができます。主和音以外の役割をここでは、一括して、「揺れ」という言葉で表現します。主和音が（ない場合もある）、主和音以外の和音に移り（複数の和音が連続することもある）、主和音へ戻る（主和音で終わる）という流れとして、捉えられます。

主和音の終わる感じは、メロディやバスとの関係で変化します。譜例50（ハ長調）では、主和音を背景に、和音の音だけでつくられたメロディが流れ、最後の小節が異なります。弾き比べてみましょう。三つの楽譜の中で、「終わった感じ」がするのは、メロディとバスが主音である場合（a）で、メロディが主音以外の場合（b）や、バスが主音以外の場合（c）には、続いていく感じがあります。

譜例50　主和音の終止感の違い

(c)

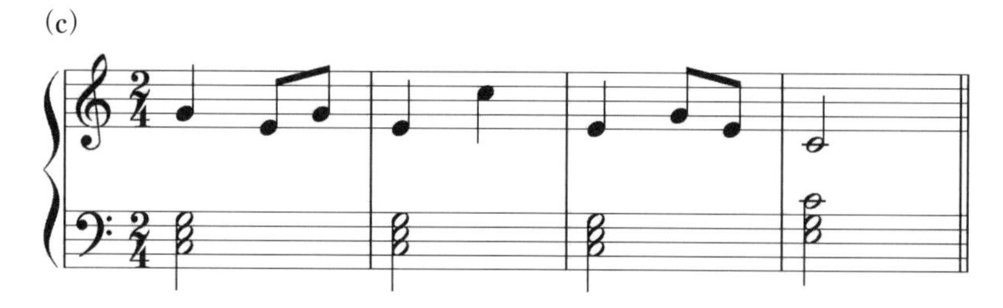

主和音以外の和音が持つ、「揺れ」の感じには、バスが大きな役割を演じます。第3小節が異なるハ長調の三つの楽譜（譜例51）を弾き比べてみましょう。主音「ド」のバス音上で和音が変化する（a）（b）に比べ、（c）はバス音も変化していて、「揺れ」は大きく感じられます。

譜例51　和音による「揺れ」の違い

(a)

同じバス音の上で和音が変化したり、バスが音階的な変化（譜例51c）をしたりしているような場合は、「揺れ」は穏やかですが、バス音の変化が大きくなると、音楽は力強い印象を与えます。「力強い」印象は、はっきりとした調性感から生み出されるという側面があります。例えば、譜例52の三つの譜例は、いずれの場合も、第4小節を聴いたときに「これはハ長調である」と感じます。これが「はっきりとした調性感」というものです。「はっきりとした調性感」を支えるのは、「Ⅳ→Ⅴ→Ⅰ」（譜例52-a）あるいは「Ⅱ→Ⅴ→Ⅰ」（譜例52-b,c）の和音進行です。穏やかな「揺れ」は漂うような感じ（浮遊感）を産み、「力強い」変化ははっきりとした調性感をもたらします。求める音楽の流れの表現にあわせて、和音の進行が選ばれることになります。

譜例52　はっきりとした調性感を伴う和音進行

(a)

(b)

(c)

4. リズム

(1) 楽譜は拍子を使って書かれている

メトロノームや太鼓のように、同じ強さのパルスを同じ間隔で機械的に鳴らし続けると、いくつかの音をまとまりとして聞き、そのまとまりの最初のパルスを強く感じます。このような現象をもとに、音楽の時間を体系化したものが拍子で、音のまとまりは小節として表されます。小節の最初の音は強いというのが、拍子の理論です。「チク・タク」という時計の擬音のように、二つのパルスがまとまりをつくる2拍子が拍子の典型です（譜例53）。

譜例53　拍子の表し方

拍子は拍子記号によって示され、分母は単位となる音符の種類、分子はまとまりをつくるパルスの数を表します。譜例53では4分音符を単位拍とする二つの拍のまとまりを示しています。現実には、1拍が細かく分割されたり、逆に長い音符に延ばされたり、あるいは、ベートーヴェンが第9交響曲第2楽章の楽譜の中に書いているように、「1小節を1拍とする3拍子」という感じ方もあります。私たちが楽譜から得ているものは、音が始まるタイミングと音の長さという二つの情報です。

(2) アウフタクト——空間の喩え

かつて「上拍」と訳されていた、アウフタクトというドイツ語の音楽用語があります（第Ⅱ部第1章1(2) 参照）。楽譜は拍子を用いて書かれていますが、その言葉が示すように、リズムは、アルシス（上＝高揚感を持ってもり上がるところ）とテージス（下＝静まっていくところ）の交替として、すなわち空間的な喩えによって、感じ取られてきました。「ここまではアルシス、ここからはテージス」というように、はっきりと分けられるものではなく、連続した高揚感の変化であり、アルシス（上）の部分はテンション（緊張感）が高く、テージス（下）の部分でテンションは開放されて落ち着きます。

(3) 音楽のリズム

音楽のリズムは、楽譜には記されないアルシスとテージスの交替という、空間的な動きになぞらえられた絶え間ない音楽のうねり（抑揚）と、楽譜に記された1拍目にアクセントを持ち、音の長さを明確に示す拍子とが、重ねられたものです。二つの側面からリズムを感じることによって、音楽表現は生き生きとしたものになります。第Ⅰ部の表現曲線は、音楽のうねりを目に見える形で表そうとする試みです。

第Ⅰ部では歌を通して表現を見てきました。楽譜上で捉えた音のまとまりに、アルシス、テージスの連続的な変化、すなわち高揚感の変化を重ね合わせることで、音楽の表現はさらに理解しやすくなるでしょう。楽式論においては、楽譜に書かれた拍子を基礎に置き、音楽の最小の単位を2小節としています。強拍が2回現れることによって、拍子が意識され、1小節というまとまりが意識されます。このように、くり返しは、音楽のテンポ（速さ）を感じる上で大切です。しかしながら、音楽のテンポ感は、楽譜上の長さや、まとまり——すなわち、拍子記号に書かれた1拍や小節——ではない、聞こえてくる音のまとまりによって、大きな影響を受けると考える方が、現実に近いでしょう。

(4) 言葉のリズムと音楽のリズム——英語の歌を考える

日本語は、強勢のアクセントではなく、高低のアクセントです。例えば標準語の場合、「はし」という言葉は、「は」を高く、「し」を低く発音すれば「箸」になり、逆に「は」を低く、「し」を高く発音すれば「橋」や「端」になります。したがって、日本語のアクセントに忠実なのは、「メロディの高低が日本語の高低アクセントに沿った歌」ということです。つまり、強勢アクセントではない日本語の歌では、アルシスとテージスの交替や拍子といった西洋音楽の特性（西洋の言語と密接に結びついてきたものです）は、言葉をはっきり発音するための手段として、用いられることになります。その結果、音楽的な表現と言葉の表現のどちらを優先させるかを決めなければならない場合さえ出てきます。

西洋に起源を持つ五線記譜法は、西洋の歌を書き表すことにすぐれています。まずは、英語の歌の言葉と音楽の関係を調べてみることで、音楽のリズムの二つの側面やその本質についての理解を深めましょう。英語は強勢アクセントを持つ言葉です。アクセントに向かって緊張していく部分（譜例54、55の矢印の付いた曲線）、アクセント（「○」で表しています）、アクセント後の緊張が解けていく部分（「○」の後の曲線）が基本的なまとまりとなり、その連続が話される言葉のリズム、あるいは抑揚を形づくっていくことになります。

《ヘイ・ジュード Hey Jude》

譜例54の冒頭の部分“Hey Jude”は、“Jude”への呼びかけです。表現曲線で書かれた表現が、そのまま言葉の抑揚でもあります。第1小節の後半から第2小節の前半、言葉の流れは、“make”のアクセントを中心につくられています。“make”と“it”は、切り離すことができません。“make it”は、さらに“bad”とまとまります。そして、“make it bad”は、先行する“don't”と結びつきます。細かく見れば、拍の表は「強」（下＝テージス）裏は「弱」（上＝アルシス）となります。“don't make it bad”のまとまりのアクセントは、第1小節第4拍の表に配置され、音楽のリズムと一致しています。もっと大きなまとまりとしてみれば、第1小節の後半の全体がアルシス、第2小節の前半がテージスとなります。

第3〜4小節についても、同じような見方ができます。特に“a sad song”という、切り離せない意味のまとまりに注意を向けてください。アクセントのない「a」は小節線の前に、アクセントのある語（あるいは音節）が第1拍に置かれています。音のまとまりとして切り離すことのできない“take a”が、言葉のまとまりの中で、重要なアクセントのある第1拍に置かれた“sad”に向かいます。このような言葉と拍子の構造の結びつきが、音楽のリズムの背景にあります。小節線の前の短い音符（群）が小節線の後の長い音とグループになるという形が、音楽のリズムの典型です。

譜例54　冒頭部分

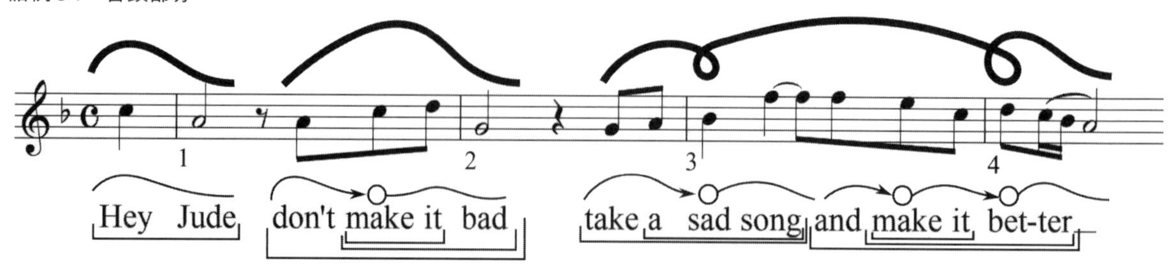

《イエスタデイ Yesterday》

譜例55では、歌詞にアクセント記号を書いてみました。言葉の流れの中で、大切な語のアクセントは、拍の表に配置されていることがわかります。第3小節の最後、“away”のアクセントに先行する部分は、短い音符で弱拍に、アクセントのある音節が強拍に置かれていることは、“Hey Jude”の第3小節“a sad song”で説明したことと同じです。

譜例55　冒頭部分

(5) 音楽のリズムを捉えるために

a. 音のまとまりの2種類の型

《日のまる》で説明したように、大切な部分（重心）がメロディのまとまりのどの部分にくるかということで、メロディの型は大きく2種類に分類することができます（第Ⅰ部第2章3参照）。一つは、「ああうつくしい」の部分のように、まとまりの最初に、もう一つは、「しろじにあかく」の部分のように、まとまりの中間にくる場合です。

b. 拍子の整理（拍子の型）

「音のまとまりの大切な部分（重心）」をアクセントと考えてみましょう。《日のまる》の「ああうつくしい」の部分のように、アクセントが最初にくる音のまとまりは、アクセントの位置が拍子（小節）のまとまりと似ています。

一般に、拍子は、強拍と弱拍の配置のパターンから、図2のように説明されます。

（「○」の大きさは強さの程度を表しています。）

図2　拍子の強拍と弱拍の配置のパターン

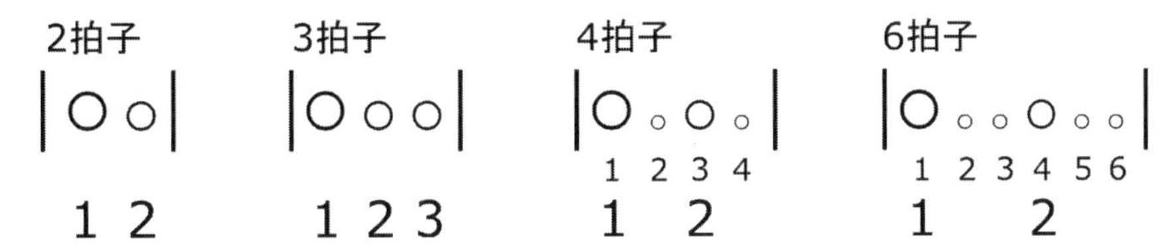

2拍子は一つの強拍と一つの弱拍からなる拍子
3拍子は一つの強拍と二つの弱拍からなる拍子
4拍子は強－弱－中強－弱の四つの拍からなる拍子
6拍子は三つの拍が一つのまとまりをつくり、そのまとまりを1拍とする2拍子

6拍子の考え方を4拍子に適用すれば、4拍子も二つの拍が一つのまとまりをつくり、そのまとまりを1拍とする2拍子に取ることもできます。拍子の背景には、同じ強さのパルスを同じ間隔で機械的に鳴らし続けているときの音のまとまり方がありますが、現実には音楽を記譜する方法として、拍子は用いられています。6拍子や4拍子を2拍子として捉えることは、楽譜に書かれた拍子と実際の拍子とは一致しない場合があることを示しています。拍子は「単位となる長さを持ち、アクセントが一

つある」音のまとまりの型として整理することができ、8分の6拍子は、付点4分音符を1拍とする2拍子、4分の4拍子は2分音符を1拍とする2拍子です。

c. メロディのまとまりを拍子として捉える

ここでは、実際の音のまとまりを小節に準じるものと考えましょう。音のまとまりの長さ、重心（アクセント）の位置から、拍子と1拍に捉える長さを決めて、演奏表現と直接に結びついた形で、音楽のリズムを感じることができます。

アクセントが最初にくる音のまとまりは、基本的に、2拍子と3拍子に整理することができ、この考え方は小節の枠を超えた音のまとまりについても、当てはめることができます。例えば、《春がきた》（譜例6）の第3-4小節「どこにきた」は、1小節を1拍とする2拍子として聴こえてきます。つまり、第4小節にアクセントはつきません。

それでは、アクセントが音のまとまりの中ほどにあるものは、どうでしょうか。フレーズの中ほどに重心（アクセント）を持つには、三つ以上の拍が必要です。その場合、重心（アクセント）の標準的な位置は、3拍子の場合は2拍目、4拍子の場合は3拍目、5拍子の場合は3拍目、6拍子は4拍目となります。2拍目に重心（アクセント）がある3拍子は、イメージしにくいと思いますが、譜例56のようなピアノ伴奏の音型として、よく現れます。《虫のこえ》（譜例7）の第1〜6小節は、2小節を1拍とする3拍子と捉えられます。《ひらいたひらいた》（譜例4）の第7〜12小節も、2小節を1拍とする3拍子と考えられ、それぞれのフレーズの重心は第2拍にあります。

譜例56　2拍目に重心がある3拍子

4拍子は2小節、4小節のまとまりとしてよく現れます。例えば、《夕やけこやけ》（譜例8）の第1〜2、5〜6、9〜10、13〜14小節は、4分音符を1拍とする4拍子と考えられ、第2、6、10、14小節の初めに重心が置かれます。また、第1〜4、5〜8、9〜12、13〜16小節をまとまりとして捉えると、1小節を1拍とする4拍子と見ることができます。その場合は、第3、7、11、15小節に重心が置かれます。さらに第1〜16小節全体を一つのまとまりとすれば、4小節を1拍とする4拍子です。このように、音のまとまりをどのように捉えるかによって、表現は変わりますが、全体を一つのまとまりとするような表現にも、細かい単位による表現が内包されていることに留意しましょう。

5拍子は多くはありません。《うさぎ》（譜例9）の第5〜9小節のまとまりは、1小節を1拍とする5拍子で、第7小節に重心（アクセント）があります。

6拍子は3拍子で書かれた楽曲の中に、よく現れます。《うみ》（譜例1）の第1〜2、5〜6小節は4分音符を1拍とする6拍子で、第2、6小節の最初に重心があります。同様に、《冬げしき》（譜例21）の第1〜2、5〜6、13〜14小節も、4分音符を1拍とする6拍子です。

音楽のまとまりには、明確な重心（アクセント）を感じさせないものもあります。例えば《スキーの歌》（譜例20）の第1〜4小節を見てみましょう。「かがやくひのかげ」「はゆる」「のやま」という音のまとまりと、抑揚の変化はありますが、音のまとまりに、明確な重心（アクセント）を感じることはできません。このような場合、抑揚の波の長さから2拍子、あるいは3拍子のどちらかの拍子と判断することができます。この第1-4小節では、それぞれの小節の後半の高揚感が高く、次の小節の初めでその高揚感が静まり、2分音符を1拍とする2拍子のくり返しと考えられます。

(6) ハーモニーのリズム

メロディのまとまりの長さが音楽のリズムと密接に関係があるように、ハーモニーのリズムも重要です。

譜例57の第1〜2小節は「ドミソ」の和音（2小節）、第3小節は「ファラ」（1小節）、第4小節から第5小節前半にかけては「ドミソ」（1.5小節）、第5小節後半は「シレソ」（0.5小節）、第6小節は「シ♭ドミソ」（1小節）、第7小節前半は「ラドファ」（0.5小節）、第7小節後半は「ラドファ#」（0.5小節）、第8小節は「ソシレソ」（1小節）となっています。規則的に和音が交代するのではなく、同じ和音が2小節続く場合もあれば、1小節の中に二つの和音が現れることもあります。大まかにみれば、一つの和音が続く時間は前半が長くて後半が短く、頻繁に和音が変化する後半の高揚感が高く感じられます。このように、和音の続く時間によって、つくられるリズムを「和声リズム」と言います。

譜例57　ハーモニーのリズム（和声リズム）

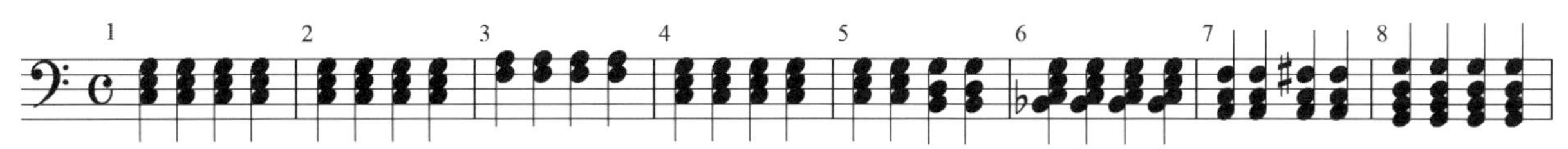

5. 形式

さまざまな地域や時代に生まれた音楽のスタイルは、それぞれ発展・変化してきました。形式は、メロディや調など、音楽の様々な書式が結びついた音のまとまりの最大公約数的な配置の型です。

（1）音のまとまりにつけられた名称

音楽は、音のまとまりを繋ぎ、関係づけることで成り立っています。さまざまなレベルや長さの音のまとまりがあり、その音のまとまりには名前がつけられています。

「動機」は、人が一度に覚えられる短期記憶の範囲（およそ3〜5秒）にあり、「音のまとまり同士の関係を作っていく」最も小さな音のまとまりです。単に、メロディのまとまりは「フレーズ」と呼びます。いくつかの動機が集まってできた、楽曲の中心となるメロディを「主題」と呼び、往々にして短期記憶の範囲を超える長さのメロディとなります。

「音のまとまり同士の関係をつくる」という見方からは、形式に応じて、大小の音のまとまりにつけられた名称があります。「ソナタ形式」では、「第1主題部」「推移部」、さらに大きな「提示部」「展開部」「再現部」などの名称があります。複数の楽章からなる曲では、それぞれの楽章も音のまとまりです。複数の音のまとまりが集まり、大きなまとまりをつくっていくという、音楽の仕組みが実感できるでしょう。

（2）くり返しと変化

音のまとまりは、何らかの形でくり返されます。くり返されるだけでなく、先行する音のまとまりとは異なるように聞こえる音のまとまりが、接続されることもあります。メロディが「同じ」「似ている」「違う」ということを聞き分けるだけではなく、音のまとまりの長さのくり返しや変化、ハーモニーのリズムについても観察しましょう。

（3）記憶と音楽

音楽を聴くとき、意識して聴いているものと聞き流しているものとがあります。意識的に聴いているものは、「くり返されている」「前に聞いた」とすぐにわかりますが、意識しないものについては聞き流してしまいがちです。「変化」が音楽の自然な流れの中で起こるとき、その自然な流れは無意識に聞いているものによって支えられています。

（4）形式の型

第Ⅰ部では、歌唱教材を取り上げました。「唱歌形式」と呼ばれる、主として唱歌の形式を説明するための伝統的な捉え方があります。

a. 唱歌形式

唱歌形式では次のように考えます。

1）旋律を構成する最小単位を「動機」という（2小節であることが多い）。

2）動機が二つで「小楽節」をつくる。

3）小楽節二つで「大楽節」が構成される。

4）一つの大楽節からなる形式を「一部形式」という。

5）二つの大楽節からなる形式を「二部形式」という。

6）三つの楽節の組み合わせを「三部形式」という。

これに従えば、第Ⅰ部で取り上げた教材の中で、一部形式は《うみ》《春がきた》《子もり歌》《赤とんぼ》、二部形式は《夕やけこやけ》《茶つみ》《春の小川》《ふじ山》《とんび》《もみじ》《こいのぼり》《冬げしき》《越天楽今様》《おぼろ月夜》《ふるさと》《われは海の子》《夏の思い出》《花》、三部形式は《かたつむり》になります。

b. 音楽の形

メロディを演奏したときに、「終わった感じ」がする場合と、「続いていく感じ」がする場合とがあります。主音で終われば「終わった感じ」がしますが、主音以外の音では、「続いていく感じ」がします。和音では、主和音（Ⅰ度の和音）は「終わった感じ」、それ以外は「続いていく感じ」がします。「終わった感じ」がする場合には、音楽は安定して高揚感は低く、「続いていく感じ」がする場合は、不安定で高揚感は高くなります。

さまざまなレベルで、音楽の形を図3のように考えることができます。表現曲線と同じように、線が上にある部分の方が、高揚感は高いと考えてください。比較的小さな、転調を含まない曲では、開始部のメロディはいろいろな音で、主音のバス（最低音）と主和音を中心とした安定した形をとります。途中、「揺れ」と書いた、主音以外のバスと主和音以外の和音が中心となる不安定で高揚感の高い部分を経て、安定した終結部に移り、バスだけではなく、メロディも主音となって曲が終わります。

比較的規模が大きく、転調を含むような楽曲では、開始部と終結部が主調、「揺れ」と書いた部分が主調以外の部分となります。例えば、ハ長調で始まり、ト長調に転調する曲は、「開始部」はハ長調、ト長調の「揺れ」の部分を経て「終結部」はまたハ長調に戻ります。

図3　音楽の形

c. 二部形式・三部形式

一般に二部形式は「a-a-b-a」、三部形式は「A-B-A」のように表されます。記号は主として、まとまりの最初の部分を比較し、メロディが同じかどうかにより判断されますので、最初は同じでも、最後の部分は異なる場合もあります。最初の「a」がくり返されたり、再現されたりして、完全に最初のメロディと一致しなければ、「a'」「a"」…のような記号で表されますが、本質的な問題ではないので、ここでは多少の違いも含めて二部形式は「a-a-b-a」、三部形式は「A-B-A」とします。

「a」「A」で示された部分が「b. 音楽の形」で述べた「開始部」「終結部」、「b」「B」で示された部分が「揺れ」であり、「b」「B」は「a」「A」と単にメロディが異なるだけではなく、高揚感を持つ不安定な部分です。二部形式と三部形式に本質的な違いはありません。開始部の方が終結部の2倍程度の長さを持つものが二部形式、開始部と終結部がほぼ同じ長さのものが三部形式です。

d. 閉鎖型と開放型

器楽の形式を考える場合、二部形式と三部形式の違い以上に、注目しておいた方がよい点があります。《バイエルNo.52》（譜例58）と《バイエルNo.73》（譜例59）は、ともにハ長調の二部形式の曲ですが、2段目（5～8小節）に違いがあります。《バイエルNo.52》では、最初の4小節がほぼくり返され、第8小節の最後ではメロディも主音「ド」、和音もⅠ度「ドミソ」となり、「終わった感じ」がします。対して、《バイエルNo.73》では、第6小節から第8小節のメロディの「ファ」には「♯」が付けられ、ト長調に転調しています。第8小節最後でメロディはト長調の主音「ソ」、和音もト長調のⅠ度「ソシレ」となります。

譜例 58　バイエルNo.52

譜例59　バイエルNo.73

《バイエルNo.52》はハ長調で始まり、「a」の部分をハ長調で閉じた後、「b」の部分に移るので、その形式を「閉鎖型二部形式」(**図4**) と呼びます。それに対し、《バイエルNo.73》はハ長調で始まるものの、「a」の部分は転調して終わり、もとの調で閉じていないので、その形式は「開放型二部形式」と呼ばれています (**図5**)。

図4　閉鎖型二部形式

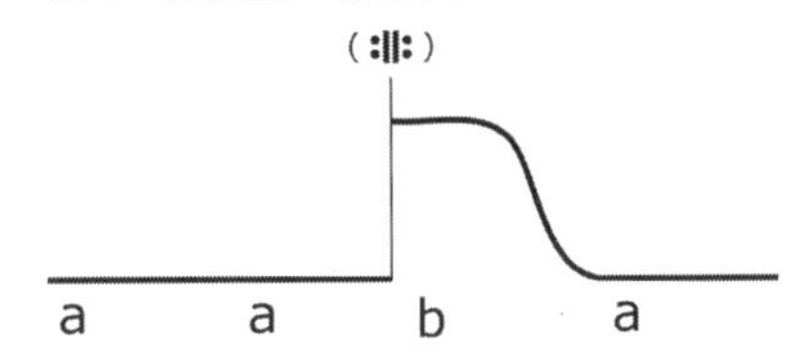

図5　開放型二部形式

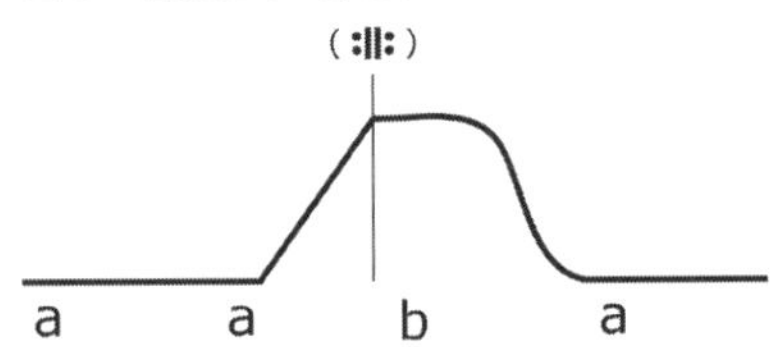

閉鎖型の二（あるいは三）部形式は、新しい部分（例えば「c」と記号化されるような部分）が付加され、また「a」に戻るというような形で拡大されます（例えば、「ロンド形式」)。

開放型の方は、転調先の調に新たなメロディを作る形に、拡大されます。これまでの「a」(あるいは「A」）のメロディは「第1主題」、転調した新たなメロディは「第2主題」と呼ばれ、二つのメロディの提示が行われる部分を「提示部」と呼びます。「b」の部分は「展開部」となり、規模の大きな曲になれば、さまざまな調で主題が展開されます。提示部のメロディ（第1主題）に戻る部分は「再現部」と呼ばれ、第1主題の後、第2主題が主調で続きます。この形式が「ソナタ形式」です（**図6**)。

図6　ソナタ形式

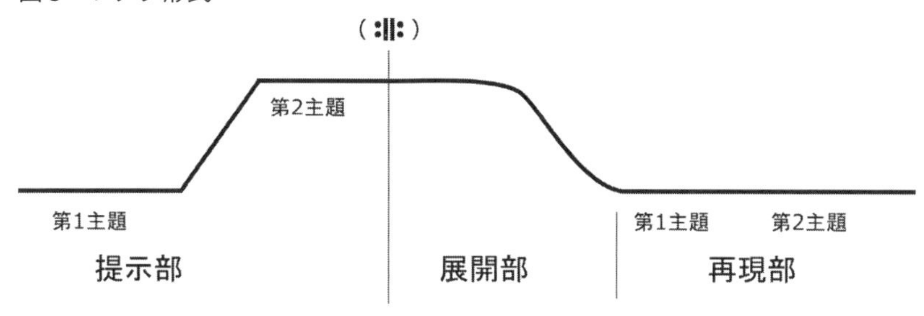

第Ⅲ部
音楽の聴き方（鑑賞のヒント）

第1章●音楽を捉えるには？

音楽を聴いて快く感じたり、心の安らぎを得られたり、励まされたりする経験は、誰にでもあるでしょう。自ら進んで歌を歌ったり、楽器を演奏したりしなくても、音楽鑑賞を趣味に挙げる人は多いのではないでしょうか。学校で鑑賞した体験がきっかけで、好きな曲を見つけて聴くようになったという場合も少なくありません。最近はパソコンから誰でも簡単に、良い音質で音楽を聴くことが可能になってきています。学校教育における鑑賞活動は、未来の聴衆を育てるという意味でも、重要性が増していると言えるでしょう。

しかしながら、鑑賞教育では、さまざまな工夫がなされつつあるものの、現実には「様子を思い浮かべて聴く」「ワークシートに感想を書く」といった授業がまだ多いようです。その結果、「できるようになる」状態がわかりやすい表現分野に比べ、限られた授業時間の中で、「音楽をどのように感じ、何を理解して聴いているか」が見えにくい（ねらいや評価規準を設定しにくい）鑑賞分野は、つい後回しになってしまうという話もよく耳にします。

音楽があふれている現在、何を聴かせるのかが問題になります。小学校や中学校における鑑賞の意義としては、さまざまな音楽を知ることが挙げられるでしょう。現在の日本において、私たちを取り巻く音楽の多くは、何らかの形で西洋音楽にルーツを持っています。このようなグローバル化の流れの中で、子どもたちが自文化を知ることは、アイデンティティの形成とも密接に関連し、逆にとても重要になっていると言えるでしょう。音楽教育でも我が国や郷土の音楽についての学習の充実が求められ、日本音楽が鑑賞の教材にも取り上げられています。以上のようなことを踏まえ、ここでは西洋音楽に加え、日本の伝統音楽を取り上げてみたいと思います。

平成20年改訂の第8次学習指導要領以降、「言語活動の充実」が掲げられており、今回の改訂もこの流れに沿っています。音楽科においては「音楽を言葉で表す」ということでしょうが、これは簡単ではありません。形が目に見える絵画や彫刻とは異なり、一瞬で過ぎ去る「音」を材料にした音楽は、もともと感覚的に捉えられがちですが、単に「美しい」「楽しい」「悲しい」だけではなく、なぜそのように感じたのかを言葉で表現することが求められているのです。つまり、音楽の特徴を言葉で表せるようになるということです。

音楽の特徴を具体的に言葉で表すために、いくつかの視点が必要になります。たとえば、小学校の学習指導要領「第3　指導計画の作成と内容の取り扱い2（8）」では、各学年の〔共通事項〕に示されている「音楽を形づくっている要素」について、「音楽を特徴付けている要素」として「音色、リズム、速度、旋律、強弱、音の重なり、和音の響き、音階、調、拍、フレーズなど」、また「音楽の仕組み」として「反復、呼びかけとこたえ、変化、音楽の縦と横との関係など」が挙げられています。中学校の学習指導要領「第3　指導計画の作成と内容の取り扱い2（9）」では、「音楽を形づくっている要素」として、「音色、リズム、速度、旋律、テクスチュア、強弱、形式、構成など」が示されています。これらの要素は、「音（音色など）、音と音との時間的な関係（リズム、速度など）、音の連なりや声部の関わり合い（旋律、テクスチュアなど）、音量の変化（強弱など）、音楽の組立て方（形式、構成など）」といった大きな括りによって整理されたものです（文部科学省『中学校学習指導要領（平成29年告示）解説　音楽編』東洋館出版社、2018年、32頁)。実際の音楽では、これらの要素が複雑に関連して成り立っていますので、それぞれの特徴を捉えるだけではなく、それらの特徴がどのように組み合わさっているのかを把握し、曲全体を総合的に理解することが必要になります。すなわち、曲を構造的に捉えていくということです。

それでは、曲を構造的に捉えるには、どのようにすればよいのでしょうか。たとえば、「このメロディは聞いたことがある」「これは、あの曲だ」というような、「知る・わかる」ということが音楽鑑賞の第1歩と言えるでしょう。この「知る・わかる」ということは、今、聴いている音楽を他のものと区別できることでもあります。同じ曲の中でも、「新しいメロディが現れた」ということが理解できることが大切なので、例えば、前のメロディを「a」と名づけ、今聴いているメロディを「b」とするというように、違いに着目して見取り図をつくり、その見取り図のパターン(形式)をよりどころにして音楽を理解するという方法は便利です。多くの場合、伝統的に培われた形式に則って曲がつくられているわけで、聴く側も音楽の形式のパターンを思い浮かべながら聴くと、音楽の構成が頭の中で整理され、ある納得感を持って聴くことができるでしょう。

しかし、実際に鳴り響く音を形式の鋳型に注ぎ込んで聴くだけで、音楽を理解したと言えるのでしょうか? 子どもの創作指導現場で、「形式としては成り立っているのだけれども、異なった音型が併置されている」という事例を筆者は数多く見てきました。これは、違いだけに着目して音楽を捉えた結果なのではないかと考えています。音楽をさらに深く理解するためには、「同じもの」に着目する必要があります。一見、違うようにみえる中に「同じもの」が隠されており、その「同じもの」が受け継がれることによって、音楽は一つの流れとして聴こえてくるのです。

第Ⅱ部では、楽譜からどのように音楽を捉えて表現すればよいかを、メロディの始まり方や終わり方、音組織などの面から説明してきました。鑑賞においては、音楽を構成する要素に加え、音楽の仕組み、すなわち構造面を中心に考えていきます。鑑賞の経験は、演奏や創作活動の参考になるでしょう。第Ⅲ部では、以上のような観点から、主として小学校や中学校で取り上げられる曲の具体例から鑑賞のヒントを述べてみたいと思います。

第2章●日本の伝統音楽

まずは、日本の伝統音楽の流れを頭に入れておきましょう。西洋音楽と同じく、日本の伝統音楽においても、民謡のように人々の間に自然に生まれた音楽と、芸術音楽とに大別できます。江戸時代までの日本は階級社会であり、それぞれの階級に属する人々により好まれる音楽の種類も異なっていました。

多くの種類の音楽やそれを伴う芸能が生み出され、現在まで受け継がれていることが、日本の伝統音楽の特徴です。雅楽や尺八の曲のような例外もあるものの、日本の伝統音楽は、器楽だけの演奏よりも、舞踊や演劇、歌と関連して発展してきたことも、「自律した音楽そのもの」に価値をおく西洋クラシック音楽とは異なる点です。元来、「虫の音を愛でる」という私たち日本人の感性は、純粋な楽音を好む西洋とは異なり、噪音を含む尺八や三味線の奏法や、地声を用いた発声法を生み出してきました。音階やリズムも、西洋音楽の長音階や短音階、拍子とは異なっています。

1．古代

日本は外来の音楽を組織的に取り入れたことが2回あります。最初は7〜10世紀のアジア大陸の音楽文化輸入の時代です。701年には雅楽寮が設置され、組織的な学習が行われました。雅楽は、飛鳥時代から平安時代前半にかけて大陸から輸入された音楽が融合して平安時代後半に日本化され、現代まで伝えられています。日本には古代から伝わる神楽歌や久米歌があり、日本古来の歌と舞を国風歌舞といいます。舞を主にする舞楽では、中国や中央アジアなどに起源を持つ唐楽を用いるものを左方、朝鮮などに起源を持つ高麗楽を用いるものを右方に整理され、楽器編成や構成なども異なります。楽器は、管楽器（篳篥、龍笛、笙）、弦楽器（楽箏、楽琵琶、和琴）、打楽器（鞨鼓、鉦鼓、太鼓）などが用いられ、舞を抜いた器楽合奏のみによる演奏は管弦と呼び，唐楽の曲が演奏されます。小学校第6学年の共通教材である《越天楽今様》のメロディのもとになった《越天楽》は、管弦の有名な音楽です。

また、仏教の伝来とともに、法会や法要で僧侶が節をつけて経文を唱える声明が伝わり、804年に唐に渡った二人の僧、最澄（766/767-822）と空海（774-835）によって天台声明、真言声明がもたらされました。声明はその後の日本の声楽曲、平曲や謡曲に大きな影響を与えていきます。

2．中世

雅楽で用いられた楽器とは少し構造が異なる琵琶を用い、盲僧たちが平家物語を語って諸国を流浪しました。これが平曲で、13世紀頃に成立したと言われる「語り物」音楽です。

能は「猿楽の能」の略称が一般化したものです。奈良時代に大陸から伝えられた散楽は、寺院で滑稽な芸能として演じられていました。そこから平安時代に猿楽が生まれ、鎌倉時代にはストーリー性をもつ猿楽能という形態が成立しました。平安時代末期に日本古来の豊作祈願の神事を受け継いだ田楽も、演劇的な要素を加えた田楽能を演じるようになって、影響を与え、能は南北朝時代から室町時代に成立したといわれています。大和猿楽の観阿弥（1333-84）は、さまざまな芸能や音曲を取り込み、将軍足利義満の庇護を得ますが、息子の世阿弥（1363?-1443）は、物まね芸から幽玄性をもつ「夢幻能」へと、能を豊かな内容を持つ歌舞劇に完成させました。世阿弥は『風姿花伝』をはじめとする著作を残し、そこには「序破急」の理論が展開されています。序破急とは本来、雅楽の曲の構成に関する言葉ですが、能だけではなく、あらゆる日本の伝統芸能に通じる論理として影響を及ぼします。

物語は、主人公のシテや、相手役のワキ、ツレといった演者と通常8名編成の「地謡」が謡う「謡」によって進行します。謡は8拍子が基本で、七五調の12文字を8拍で謡う「平ノリ」が一番多い「ノリ型」（リズム形）です。このような拍節が明確な「拍子合」に対し、自由に謡われる「拍子不合」というノリ型もあります。また、能で用いられる器楽は「囃子」と呼ばれます。囃子は、能管、小鼓、大鼓、太鼓の四つの楽器で演奏され、これらの楽器の総称を「四拍子」といいます。能管は竹製の横笛で、「ヒシギ」

という独特の高音を出すことができます。大鼓は皮を乾燥させて、小鼓よりも高い音を出します。小鼓、大鼓、太鼓奏者によるかけ声も重要な音楽の要素です。

また、猿楽の滑稽さを受け継いだ「狂言」は、口語体で演じられる科白劇で、風刺を含んだ中世の庶民の芸能です。

3．近世以降

近世の音楽の重要なトピックとしては、1560年頃に琉球から三線が渡来して、三味線がつくられたことが挙げられます。本土ではニシキヘビの代わりに猫や犬の皮が使われるようになりますが、最初にこの楽器を完成させたのが琵琶法師であったことから、三味線では撥を使うようになりました。太い方から「一の糸」「二の糸」「三の糸」と呼ばれ、一の糸には「さわり」という躁音が出る仕組みが取り付けられて、共鳴することにより、独特の音色がします。三味線を使って歌われた「三味線組歌」が江戸初期につくられました。三味線音楽は、音楽的な流れを重視した「歌い物」と、話し言葉に近く物語を語る要素が強い「語り物」の2種類に大きく分けられます。「浄瑠璃」とは三味線音楽の語り物の総称です。江戸の三味線音楽に対して、関西のものは「地歌」と呼ばれています。

三味線は人形芝居と結びつき、人形浄瑠璃の音楽として発展します。大坂の竹本義太夫（1651-1714）が竹本座を創設して近松門左衛門（1653-1724）の台本を語った義太夫節は、「語り物」の代表的なジャンルです。

「歌い物」の代表的なジャンルとしては、18世紀初頭に歌舞伎と結びついて生まれた長唄があります。人形浄瑠璃の人気に押された歌舞伎は、人形浄瑠璃の評判の高い演目を取り入れて甦り、長唄に加え、竹本（義太夫節）、常磐津節、清元節などの浄瑠璃や、舞台下手の小部屋で、舞台の進行に合わせて打楽器や三味線、笛などにより情景や効果音を表現する黒御簾（くろみす）音楽（下座（げざ）音楽）など、多くの音楽が用いられます。歌舞伎舞踊では音楽を演奏する人たちも舞台に上がり、長唄では「出囃子」といって三味線方、唄方、小鼓・大鼓・太鼓・笛の四拍子が並びます。長唄は黒御簾の中で芝居の伴奏音楽も担当し、愁嘆場（しゅうたんば）などで役者の演技に合わせて伸縮自在に音楽をつけることを「メリヤス」と呼びます。

江戸時代に普化宗（ふけしゅう）の法器として用いられていた尺八は、1尺8寸の長さであったことからこの名称で呼ばれ、前に4孔、後ろに1孔の指孔があります。指孔の押さえ方や顎の動きにより音程を上げたり（カリ）、下げたりする奏法（メリ）、顎を振ってビブラートをかける奏法（ユリ）があり、歌口に強く息を吹く「ムラ息」では独得の音色で演奏されます。

箏曲の基礎は江戸時代に八橋検校（やつはしけんぎょう）（1614-85）によって築かれ、歌を伴う「箏組歌」と純粋な器楽曲である「段物」を確立したと言われています。《六段の調》は八橋検校の作品とされ、歌詞を持たない箏の独奏曲です。その後、生田検校（1656-1715）は三味線音楽である地歌との関係を深め、関西を中心にした生田流が広まっていきます。江戸では、山田検校（1757-1817）が語り物である浄瑠璃を箏曲に用いて山田流を創始し、現在に至っています。三味線音楽である地歌では、箏と胡弓を加えた三曲合奏が行われ、明治時代からは胡弓の代わりに尺八が用いられるようになります。

西洋音楽においては、音は音楽を組み立てるための要素として平等に取り扱われ、あたかもブロックから全体をつくるように、作曲家が音を組み立てて音楽をつくっていく傾向が強いです。対して、音の高さと演奏法が結びついた口唱歌（くちしょうが）（箏においては「トンテン」「シャンテン」など）に象徴されるように、日本の音楽では、音と演奏法が結びついた、いわば音楽的な断片の組み合わせによって、音楽がつくられていく傾向が強いと言えるでしょう。

2回目の外国の音楽文化の積極的な輸入は、明治時代に行われました。西洋音楽の輸入です。1879（明治12）年には音楽取調掛（後の東京藝術大学）が設置され、音楽教育が開始された後、最近まで「音楽教育」はほとんど「西洋音楽の教育」を意味していました。その結果、明治以降、日本の伝統音楽もまた、西洋音楽の影響を受けることになりました。大正から昭和にかけて興った新日本音楽はその例で、宮城道雄（1894-1956）の《春の海》には、西洋音楽的な構成がみられます。

第3章●西洋の音楽

次に、中世（1450年頃まで）、ルネサンス（1450年頃～1600年頃）、バロック（1600年頃～1750年頃）、古典派・ロマン派（1750年頃～1900年頃）、近代・現代（20世紀以降）の五つの時代に分けて、西洋音楽の歴史を概観していきます。

1．中世の音楽

西洋音楽の特徴は、複数のメロディが同時進行しながらサウンドを作っていくこと（多声音楽）にあります。西洋音楽はキリスト教と密接に関わって発達しました。西洋音楽の源流であるとも言われるグレゴリオ聖歌は、ローマ・カトリック教会の典礼で、ラテン語の歌詞に抑揚をつけて歌われた単旋律の音楽です。グレゴリオ聖歌は長い期間をかけて発展し、用いられる音階は八つの教会旋法に整理されました。グレゴリオ聖歌の楽譜は「ネウマ譜」と呼ばれています。

単旋律のグレゴリオ聖歌からポリフォニー（多声音楽）が生まれたことが西洋音楽の展開に大きく寄与します。初期のポリフォニーはグレゴリオ聖歌のメロディに5度や4度下の旋律を重ねた二声合唱の形態をとる「平行オルガヌム」から始まりました。12世紀の「ノートルダム楽派」によって、多声音楽は大きく進歩します。ノートルダム楽派の音楽では、「定旋律」と呼ばれる、もとになる旋律（グレゴリオ聖歌）はテノールのパートに置かれ、原型が何であるか聞き取れないほどに長く引き延ばされて歌われます。そして、この定旋律の土台の上に、細かい音価で動く、新しい旋律が重ねられました。12世紀にパリのノートルダム寺院で活躍したレオニヌスは、歴史上に記録が残る初めての作曲家です。

2．ルネサンスの音楽

15世紀から16世紀にかけてのルネサンス音楽においても、無伴奏の宗教合唱曲が中心的なジャンルで、ポリフォニー音楽は発展し、「通模倣」と呼ばれるスタイルに変化します。例えば三つの声部から成る曲の場合、一つの声部が歌い出したメロディを次に歌い出す声部や3番目の声部が一定の間隔をおいて模倣していきます。最初は聖歌がメロディに使われましたが、後には世俗曲も用いられるようになります。

ポリフォニー音楽では、それぞれの声部が独立したメロディでありながら、全体の調和が図られる「対位法」という作曲技法が用いられ、音高や音価を正確に記録する必要性から、次第に現在の五線譜が使われるようになります。ルネサンス時代までは声楽が重要なジャンルです。宗教音楽の伴奏にオルガンが用いられることもありましたが、楽器の主な役割は、歌の伴奏や、声楽のパートに重ねたり、欠けたパートを補ったりすることでした。

3．バロックの音楽

次のバロック期以降、20世紀初めまでの約200年あまりの間につくられた曲が、一般に演奏されるクラシック音楽のレパートリーのほとんどを占めています。鑑賞教材として取り上げられる曲も同様です。この期間の音楽には、器楽が多いことに注目しておきましょう。

1600年前後にイタリアのフィレンツェで、カメラータと呼ばれるグループによって古代ギリシャの音楽劇が復活上演されました。ルネサンス音楽の作曲家たちがポリフォニーを発展させた結果、音楽はどんどん複雑になり、歌詞は聴き取り難くなっていました。このため、劇の上演にあたっては、ポリフォニーのスタイルを捨て、器楽の和音伴奏に支えられて独唱や重唱で演奏する「モノディ様式」が用いられたのです。1607年に作曲されたモンテヴェルディ（1567-1643）の《オルフェオ》は、現在でも演奏される最初期のオペラです。

バロック音楽は絶対王政の時代とも重なります。相次ぐ十字軍の派遣や宗教改革などで影響力が弱まってきたローマ・カトリック教会に代わり、強力な権力を握った国王が芸術の重要な庇護者となります。音楽は宮廷を中心に発展し、壮麗な宮殿の中で行われる舞踏会や晩餐会などのために多くの音楽が作曲されました。特定の機会にBGMとして用いられた音楽を「機会音楽」と呼びます。器楽の役割は大きくなり、鍵盤楽器の作品も多くつくられました。オルガンと並び、当時好まれた鍵盤楽器はチェンバロで、メロディを和音によって伴奏するというスタイルが現れます。バスだけを楽譜に書いて和音は数字で示される「通奏低音」という技法では、低音部のメロディを担当するチェロやコントラバスに加え、チェンバロが和音を即興的に奏でました。ヴァイオリンなどの弦楽器が発達し、オーケストラではオーボエやファゴットなどの管楽器も多く使用されるようになります。

声楽では、歌詞である言葉のニュアンスにメロディは影響を受け、歌詞を大事にすればするほど、一つの音楽の中に、さまざまなメロディが混在してしまうことになります。楽器だけで演奏されることになると、メロディの混在による不都合が見えてきました。器楽が発達することによって、通模倣のスタイルの後継となる、二つの形が現れます。一つは、音楽を複数の楽章によって構成する多楽章形式です。複数の楽章があれば、いろいろなメロディを一つの音楽の中に持ち込むことができます。もう一つは、声部間の模倣を通模倣のスタイルから受け継いだ「フーガ」です。対位法の大家であったドイツ生まれのJ.S.バッハ（1685-1750）やヘンデル（1685-1759）はバロック後期の作曲家です。

バロック時代の重要な器楽形式の一つは「古典組曲」です。バッハの時代にはアルマンド、クーラント、サラバンド、ジーグという性格の異なった舞曲を基本とし、メヌエットなどの舞曲が随意に挿入されるという型が標準となりました。「協奏曲」の標準の型（独奏楽器とオーケストラによって演奏される「急-緩-急」の楽章配置を持つ楽曲）ができたのもバロック後期です。ヴィヴァルディ（1678-1741）の《四季》はこの時代のヴァイオリン協奏曲です。バロック後期には独奏楽器（群）とオーケストラによって「対照の原理」が表現された「合奏協奏曲」も多くつくられました。

均整の取れた美を尊重したルネサンス芸術に比べ、フランスのルイ14世が建設したヴェルサイユ宮殿に象徴されるように、バロック芸術では壮麗さや、光と影、明暗などの対比を用いた劇的な表現が見られます。音楽においても、教会旋法は明瞭な終止感を持つ長調と短調に集約されていき、強弱の対照がはっきりした曲調へと変化していきます。

4．古典派・ロマン派の音楽

フランス革命後、音楽の担い手は徐々に市民階級へ広がり、啓蒙思想の影響から明快で調和の取れた音楽が好まれるようになります。それまでの作曲家は教会や宮廷に仕え、特定の聴衆を対象としていましたが、社会の変化とともに、演奏の場もコンサートホールに移り、私たちに馴染み深い楽曲が数多く生み出されていきます。

この時代には、さらに器楽が発達し、チェンバロの代わりにピアノが用いられるようになります。メロディと和音伴奏を中心とする、現代の私たちが「機能和声法」と呼んでいる、分りやすいスタイルの音楽が好まれるようになりました。古典派音楽で重要な「ソナタ形式」は、調性と密接に関わっています（第Ⅱ部第2章5（4）参照）。ソナタは多楽章形式の器楽曲で、古典派の時代のソナタは、「急-緩-急」の楽章配置の中に、古典組曲にも取り入れられたメヌエットが挿入されたものです。第1楽章は速いテンポのソナタ形式、第2楽章は緩やかなテンポの二部形式など、第3楽章はメヌエット（あるいはスケルツォ）、第4楽章は速いテンポのロンドまたはソナタ形式という構成がその定型で、ピアノで演奏されるソナタが「ピアノ・ソナタ」、オーケストラのためのソナタが「交響曲」です。オーストリア生まれのハイドン（1732-1809）やモーツァルト（1756-91）、ドイツ生まれのベートーヴェン（1770-1827）はウィーンで活躍しましたので、「ウィーン古典派」と呼びます。

古典派のジャンルを引き継ぎ、作曲技法を発展させていったのが、19世紀のロマン派の音楽です。均整の取れた形式美よりも個人の感情や独自性を重視したロマン主義は、一瞬で過ぎ去る「音」を対象とした音楽において大きく花開きます。享受層の広がりとともに、音楽学校が設立され、多くの作曲家や演奏家が輩出する一方、科学技術の発展とともに楽器の改良が進み、音量や演奏技術が追求されました。

独自性を探求していたロマン派では、さまざまな傾向がみられます。半音階が多用されるようになった結果、調性的な対比が失われていく替わりに、音楽は豊かな色彩を獲得することになります。音楽外のものを表現しようとする「標題音楽」も多くつくられました（対して、《交響曲第5番》のように、ジャンルを示すタイトルを持つ曲を「絶対音楽」と呼びます）。それまであまり用いられなかったチューバや打楽器がオーケストラに用いられ、広いコンサートホールで不特定多数の聴衆を対象にした音楽のありようを反映して、オーケストラの規模も大きくなっていきます。19世紀前半には、オーストリアのシューベルト（1797-1828）、ドイツのメンデルスゾーン（1809-47）やシューマン（1810-56）、パリで活躍したポーランド出身のショパン（1810-49）などが輩出し、19世紀後半には、ハンガリー出身のリスト（1811-86）、ドイツのワーグナー（1813-83）やブラームス（1833-97）などが活躍しました。

19世紀後半には、民族の独自性を表現しようとした民族主義が興り、音楽学校の教育システムが整ったこととあいまって、周辺の国々からも作曲家が輩出します。チェコのスメタナ（1824-84）やドヴォルザーク（1841-1904）、ノルウェーのグリーグ（1843-1907）、ロシアのムソルグスキー（1839-81）やチャイコフスキー（1840-93）などは、「国民楽派」と呼ばれます。チャイコフスキーは《くるみ割り人形》など芸術性を高めたバレエ音楽を残しました。フランスのビゼー（1838-75）やサン＝サーンス（1835-1921）、イギリスのエルガー（1857-1934）もこの時代に活躍した作曲家です。

5．近代・現代

20世紀には、耳に親しみやすい長・短調以外の響きを持つ音楽が現れ、音楽のスタイルも多様になります。その一因となったのは、ヨーロッパ以外の音楽との接触です。交通網の発達で移動が容易になりつつあった19世紀後半のパリやロンドンでは万博が開かれ、人々は植民地の文化と出会います。アジアの五音音階で構成された音楽を聴いたフランスのドビュッシー（1862-1918）は、ヨーロッパの長調や短調とは異なる音組織や響きを取り入れた音楽をつくりました。彼や同じフランスのラヴェル（1875-1937）の音楽はしばしば「印象主義」と呼ばれます。

また、ロシア出身のストラヴィンスキー（1882-1971）は、20世紀初めのパリで、拍子の頻繁な変化や、異なった系列の和音の積み重ねなどの手法を取り入れ、リズムを強調した「原始主義」と呼ばれる音楽を書きました。ロシア・バレエ団のプロデュサーであったディアギレフに依頼されたバレエ音楽《火の鳥》《ペトルーシュカ》《春の祭典》は有名です。

ドイツ圏では、マーラー（1860-1911）やリヒャルト・シュトラウス（1864-1949）などが後期ロマン派の流れを受け継ぎ、大規模なオーケストラ作品をつくりました。ワーグナーの半音階的な手法を推し進めたシェーンベルク（1874-1951）は、20世紀初めには無調の音楽にたどり着き、調性に代わる音楽のシステムとして、1オクターブ内の12の半音を平等に用いた音列をもとに作曲する「12音技法」を1920年代に確立しました。彼の弟子のベルク（1885-1935）やウェーベルン（1883-1945）も、このシステムを取り入れた曲をつくりました。この考え方は音高以外の音価や強弱などの要素も加えて作曲される「セリー音楽」に繋がり、フランスのメシアン（1908-92）やブーレーズ（1925-2016）、ドイツのシュトゥックハウゼン（1928-2007）など第2次世界大戦後の多くの作曲家に影響を与えました。

複雑になり過ぎた音楽の様相に対し、アメリカのケージ（1912-92）は、「偶然性の音楽」を始めました。奏者がピアノの前に座るだけで演奏せず、聴衆の意識をホール内の音に向ける《4分33秒》は、音楽そのもののあり方を見直す契機となった作品です。「音を用いて音楽を構築する」という西洋音楽の根本に一石を投じたケージは、実は鈴木大拙（1870-1966）らの東洋思想から影響を受けていました。日本の武満徹（1930-96）は、このようなケージやドビュッシーから影響を受け、西洋とは異なる日本音楽のリズムや響きを生かした音楽をつくっています。

第4章●鑑賞教材

1. サン＝サーンス《動物の謝肉祭》より〈かめ〉〈ぞう〉〈白鳥〉

《動物の謝肉祭》は、サン＝サーンスが謝肉祭の間に滞在した、オーストリアのクルディムの町の音楽会のために1886年に作曲されました。動物にちなんだタイトルを持つ14曲から成り、動物のイメージが表現されています。〈ピアニスト〉という第11曲のタイトルは、下手な練習曲を演奏するピアニストを動物に見立てたジョークなのでしょう。《動物の謝肉祭》はパロディとしての側面を持ち、〈かめ〉〈ぞう〉では他の作曲家のメロディが、もともとの性格とは正反対の曲想で使われています。フルート（終曲でピッコロに持ち替え）、クラリネット、グラスハーモニカ、シロフォン、ピアノ2、ヴァイオリン2、ヴィオラ、チェロ、コントラバスという楽器編成で、グラスハーモニカはチェレスタやグロッケンシュピールで代用されることが多いようです。すべての奏者が出そろう終曲以外は、それぞれの曲に必要な楽器が選ばれています。

（1）〈かめ〉──速度、強弱【低学年】

第4曲の〈かめ〉は、オッフェンバックの《天国と地獄》の中の有名なカンカン踊りの軽快なメロディをとても遅く演奏して、亀の歩みを表現しています。聴き比べて、速度や強弱の違いがどのような印象を与えるのかを話し合ってみましょう。

（2）〈ぞう〉──速度、高低、拍子【低学年】

第5曲の〈ぞう〉では、コントラバスによる低い音のメロディが象の動きを連想させます。ワルツを踊っているような3拍子の低音の動きはどこかユーモラスです。高低や強弱の特徴から、どのような動物の動きを表現しようとしているのか、話し合ってみましょう。

〈ぞう〉においても、速い楽想を持つ原曲のメロディが遅いテンポで使われています。第5小節から開始される主題は第13小節からくり返され、発展します（譜例60）。第21～28小節のメロディはベルリオーズの《ファウストの劫罰》の〈妖精の踊り〉（譜例61）、第29～32小節のメロディはメンデルスゾーンの《真夏の夜の夢》の〈スケルツォ〉（譜例62）からの引用です。

譜例60 〈ぞう〉：第13～36小節

譜例61　ベルリオーズ《ファウストの劫罰》：妖精の踊り

譜例62　メンデルスゾーン《真夏の夜の夢》：スケルツォ

（3）〈白鳥〉――チェロの音色、音楽の縦と横の関係【中学年】

第13曲の〈白鳥〉は、《動物の謝肉祭》の中で最も有名で、作曲者の生前に出版された唯一の曲です。湖面のさざ波を連想させるピアノの細やかな音型の連続に乗って演奏されるチェロのメロディは、優雅な白鳥の姿のようです（譜例63）。音の低い弦楽器であるチェロの音色に親しみ、なめらかなメロディ・ラインとピアノのアルペジォの音型をなぞったり、図示したりして、音楽の縦の関係を理解しましょう。また、音の動きの特徴から、白鳥のどのような様子が思い浮かんだのか、話し合ってみましょう。

譜例63　〈白鳥〉：冒頭主題

2．ベートーヴェン《エリーゼのために》――反復と変化【低学年】

《エリーゼのために》は、イ短調の「ラ－ド－ミ」の和音を背景に、メロディのまとまりが主音「ラ」で区切れると終わった感じがします。譜例64では、4小節のメロディがくり返されて8小節のまとまりとなっていますが、第4小節の最初の音（前半のまとまりの最後の音）は「ド」で、メロディは続いていく感じ、第8小節の最初の音（後半のまとまりの最後の音）は「ラ」で、終わった感じがします。「続いていく感じ」で区切れる最初の4小節は「問い」、後半の4小節は「応え」のように聞こえます。

譜例64　主題冒頭部分（第1～8小節）

譜例65　主題中間部分（第9～14小節）

譜例64のメロディが譜例65（ハ長調）へと受け継がれた後、もう一回譜例64のメロディが再現されます（第15～22小節）。ここまでが主題「A」です。この曲は主題が廻り、その間に異なる部分が挿入されるロンド形式の曲で、全体は「A-B-A-C-A」の構成です。

最初に挿入される「B」の部分（第23～37小節）は譜例66から始まり、曲調がヘ長調に変化します。「C」の部分（第60～81小節）は、低音にイ短調の主音「ラ」が連続して響く中、譜例67のメロディから始まります。「C」の後は、「A」の部分に戻り、楽曲は終わります。メロディの反復と変化を聴き取りましょう。

譜例66　第1の挿入部（第23～29小節）

譜例67　第2の挿入部分（第60～67小節）

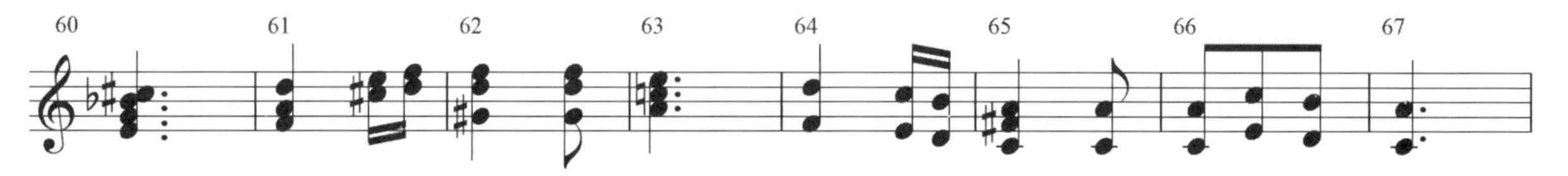

3．チャイコフスキー《くるみ割り人形》より〈行進曲〉
――反復と変化、トランペットやヴァイオリンの音色【低学年】

チャイコフスキーは、1892年に作曲したバレエ《くるみ割り人形》から8曲を選び、演奏会用に組曲を編みました。〈行進曲〉はその第2曲です。この組曲は2管編成のオーケストラによって演奏されます（第Ⅲ部第4章8参照）。

〈行進曲〉は「A-B-A-C-A-B-A」というロンド形式でできています。クラリネット、ホルン、トランペットによる譜例68のメロディで始まり、2回くり返され、ヴァイオリンで演奏される譜例69のメロディに受け継がれます。この第1～8小節が〈行進曲〉の主題「a」で、くり返されて「A」となります。その後、4小節のメロディ「b」の連続である第17～24小節「B」が続きます（譜例70、71）。「b」の最初の2小節（第17～18、21～22小節）は、トランペットと音域の低いトロンボーンの金管楽器で演奏されます。対して、第19～20小節（譜例70）のメロディは木管楽器で、フルートにクラリネットが重ねられ、第23～24小節（譜例71）ではクラリネットからファゴットに受け継がれます。

譜例68　主題の冒頭動機（第1～2小節）

譜例69　主題の後半（第5～8小節）

譜例70　第1の挿入部前半（第17～20小節）

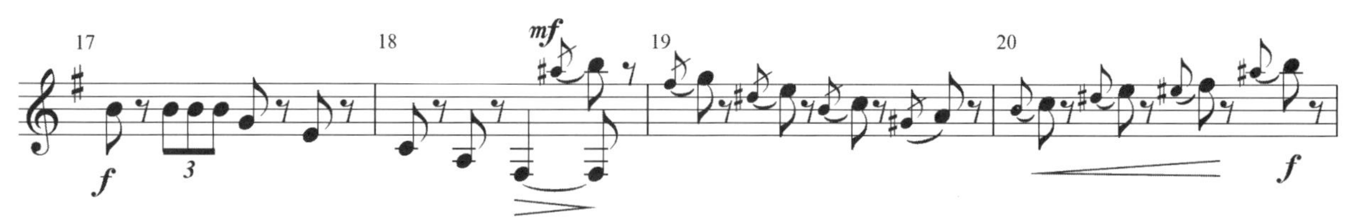

譜例71　第1の挿入部後半（第21〜24小節）

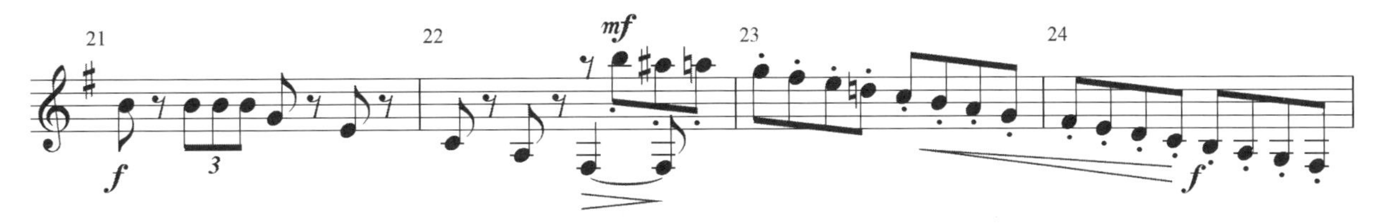

「B」の後、「A」に戻り、次は「c」（譜例72）に移ります。第41〜42小節はフルート、第43〜44小節はヴァイオリンで演奏されます。「c」がくり返された「C」（第41〜48小節）の後、「A」「B」「A」が続きます。

譜例72　第2の挿入部前半（第41〜44小節）

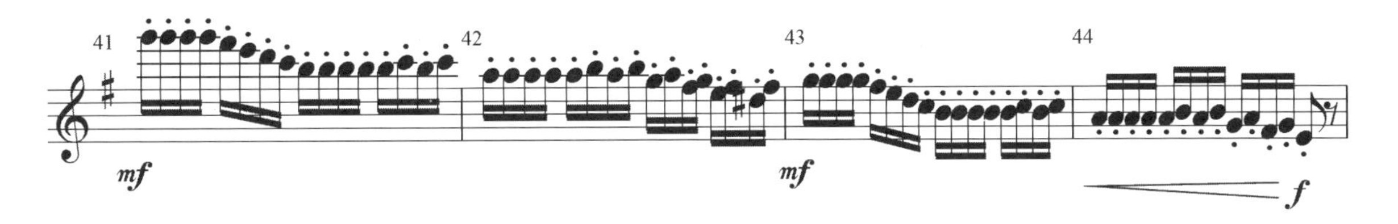

〈行進曲〉はそのタイトルにふさわしく、4分の4拍子で書かれていますが、メロディにはさまざまな工夫がされています。2小節のまとまりのメロディ（譜例68）は、実際には2分音符を1拍とする4拍子です（第Ⅱ部第2章4（3））。譜例69の第5小節（2分音符を1拍とする2拍子）は音の高さを変えて第6小節でくり返され、第7〜8小節の2小節のまとまりが続きます（2分音符を1拍とする4拍子）。同じテンポで演奏しても、メロディのまとまりが短くなれば音楽はもり上がり、長くなれば落ち着きます。「a」の8小節は、2、2、4小節のまとまりでできていますが、この1：1：2のメロディのまとまり方は、クラシック音楽にはよくみられるパターンです。

譜例70、71の開始部分は譜例68とリズム・パターンが同一で、譜例72は同じ音のくり返しで始まります。同音反復は譜例68に発し、譜例70、71と受け継がれ、譜例72に至ります。メロディの違いだけでなく、共通するものに注意を向けると、音楽の自然な流れや全体としてのまとまりを感じ取ることができます。

4．モーツァルト《魔笛》より〈パ・パ・パ〉――呼びかけと応え【中学年】

〈パ・パ・パ〉は、モーツァルト最後のオペラ、《魔笛》（1791年）の終曲に含まれる2重唱です。前奏の後、2重唱が始まります（譜例73）。「パ・パ・パ」という男声のパパゲーノの呼びかけに対して女声のパパゲーナが答えるわかりやすい例ですが、メロディと和音に注目してみましょう。この曲はト長調ですから、主和音は「ソ-シ-レ」です。パパゲーノの歌い出す部分の背景には主和音があり、歌い終わる部分（3小節目）では「レ-ファ♯-ラ-ド」の和音（属七の和音）に移ります。パパゲーナはこの和音の上で歌い始め、主和音の上で歌い終わります。背景の和音の響きに注意して聴くと、単なる模倣ではなく、パパゲーノの問いかけに対し、パパゲーナが応答していることがよく感じられるでしょう。

譜例73　〈パ・パ・パ〉：２重唱の開始部分

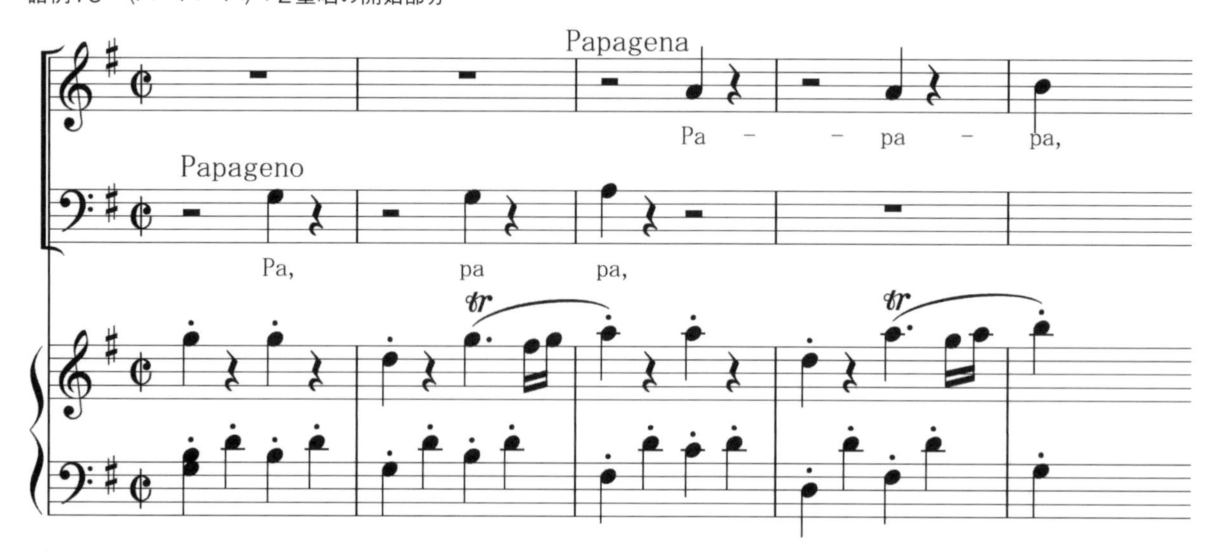

歌のない楽器だけの音楽であっても、先行するメロディが主和音上で始まって、主和音以外の和音上でまとまり、続くメロディが主和音以外の和音で始まり、主和音上で終わる場合には、二つのメロディは呼びかけと応えに聴こえます。

5．J.S.バッハ《管弦楽組曲 第2番》より〈バディヌリ〉——フルートの音色【中学年】

〈バディヌリ〉は《管弦楽組曲第2番》の最後の曲で、「バディヌリ」とは、「冗談」の意味です。宮廷で盛んに舞踏会が行われたバロック時代には、同じ調の舞曲を並べた組曲が多くつくられました。オーケストラで演奏される組曲は「管弦楽組曲」と呼ばれます。この曲はフルート、弦楽合奏、通奏低音で編成され、メロディはフルートで演奏されますが（譜例74）、メロディの骨格となる音はヴァイオリンによって重ねられています。フルートの音色とともに、ヴァイオリンが重ねられた時の音色の変化に注目しましょう。ロ短調の曲で、途中で嬰ヘ短調に転調し、ロ短調に戻ります。

譜例74　第1～4小節

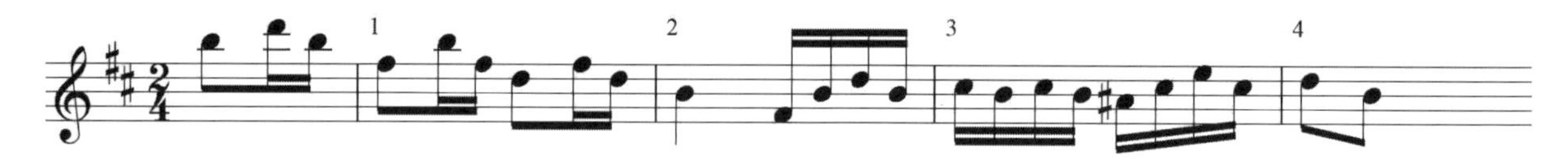

6．ヘンデル《水上の音楽》第2組曲より〈アラ・ホーンパイプ〉——掛け合い、三部形式【中学年】

〈アラ・ホーンパイプ〉は、ヘンデルがイギリス王ジョージ1世の舟遊びのために作曲したと言われる管弦楽組曲《水上の音楽》の中の曲です。ヘンデルはバッハと同年にドイツで生まれ、イギリスでオペラやオラトリオを上演するなど、国際的に活躍したバロック時代の作曲家です。「ホーンパイプ」はイギリス生まれの2分の3拍子のフォークダンスで、その舞曲が音楽に取り入れられました。この曲は、トランペット2、ホルン2、オーボエ2、バスーン2、弦楽合奏、通奏低音という編成で、木管楽器（オーボエ、バスーン）と弦楽器は重ねられ、トランペット、ホルン、弦楽合奏＋木管楽器＋通奏低音という三つのグループの掛け合いや重ね合わせで音楽が進んでいきます。グループの音色の違いを聴き比べてみましょう。また、祝祭的な華やかさを持つ部分と、トランペットとホルンを除いて演奏される中間部との曲想の対比にも注意して聴きましょう。

7．ビゼー《アルルの女》第2組曲より〈ファランドール〉――メロディの重なり【中学年】

演劇「アルルの女」の上演のために作曲した音楽から、第1組曲はビゼー自身、第2組曲はビゼーの死後、ギローによってその他の曲も加えて編曲されました。「ファランドール」とはフランス南部、プロヴァンス地方の舞曲です。

第2組曲の終曲（第4曲）の〈ファランドール〉は2管編成に二つのコルネットが加わったオーケストラで演奏され、二つの主題を持っています。第1はフランスの民謡《三人の王の行進》に基づく主題（譜例75）、第2はファランドールの主題（譜例77）です。楽曲はオーケストラ全員による第1の主題の演奏で開始され、次に主題がカノン風に展開（譜例76）された後、第2の主題が現れます（譜例77）。第2の主題が発展的にくり返された後、第1の主題が断片的に挿入される部分を経て、ついには第1の主題と第2の主題が同時に演奏される部分に至り（譜例78）、音楽はクライマックスを迎え、終結します。

譜例75　《三人の王の行進》に基づく第1の主題

譜例76　カノン的な重ね合わせ

譜例77　ファランドールの第2の主題

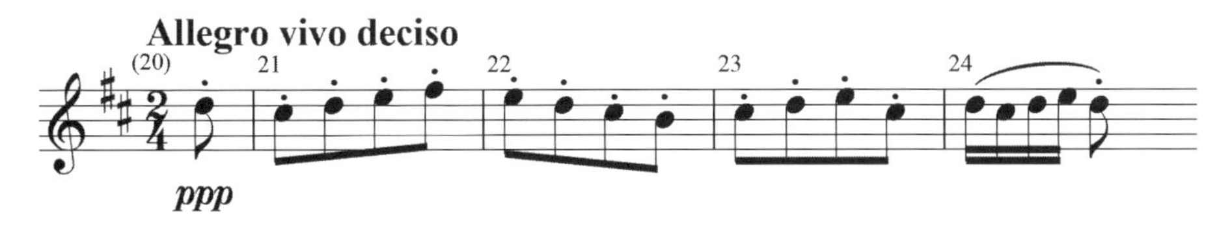

譜例78　二つの主題の重ね合わせ

8．ブラームス《ハンガリー舞曲 第5番》――速度の変化、三部形式【高学年】

ブラームスは、ドイツの後期ロマン派の作曲家で、ハンガリーのジプシー音楽をピアノ連弾に編曲しました。1869年に出版された第１集と第2集が大きな人気を得たため、1880年には第3集と第4集が出版され、ピアノ独奏用や管弦楽用にも編曲されました。

嬰ヘ短調で書かれた第5番はもっとも有名で、緩急自在な音楽が三部形式にまとめられています。最初の部分では8小節のテーマ（譜例79）が変奏を加えて4回演奏された後、次のメロディに移ります（譜例80）。中間部は同主調である嬰ヘ長調で書かれ、二つのメロディ（譜例81、82）が演奏された後、最初の部分に戻ります。曲の雰囲気の変化を感じ取り、速度が変化する箇所では、演奏に合わせて拍を取ったり、身体を揺らしたりして、変化を細かく捉えてみましょう。

ブラームス自身による第５番の管弦楽編曲はありません。シュメリンクやパーロウによる管弦楽版では、オーケストラの特性に合わせて、嬰ヘ短調からト短調へと、調性は変更されています。

譜例79　冒頭部分

譜例80　二つ目のメロディ

譜例81　中間部のメロディ①

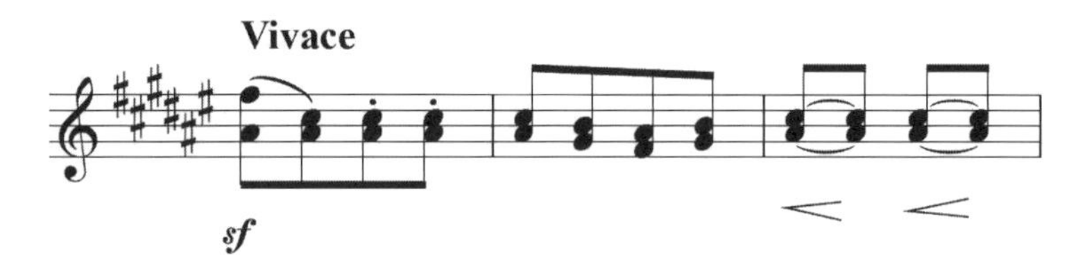

譜例82　中間部のメロディ②

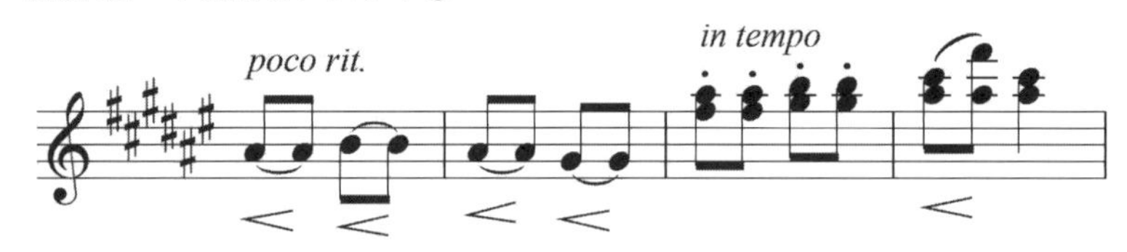

9．エルガー《威風堂々 第1番》――行進曲、三部形式【高学年】

《威風堂々》は、エルガーがオーケストラのために作曲した6曲の行進曲集です。1901年に作曲された第1番が有名で、「威風堂々」といえば、第1番の中間部の主題（譜例84）が連想され、これは「第2のイギリス国歌」として、歌詞を付けて歌われています。

第1番はニ長調で書かれ、前奏の後、第1主題が現れます（譜例83）。ト長調の中間部（譜例84）の主題は、異なっているように聞こえますが、実は共通する外形を持っています。譜例83、84の「○」で囲んだ音符を階名で読めば、どちらも「ド－シ－ラ－ソ－ファ－ミ－レ」となり、中間部も最初の主題から導かれたと言えるでしょう。

譜例83　冒頭部分

譜例84　中間部の主題

10. 宮城道雄《春の海》──尺八と箏の音色【高学年】

1929（昭和4）年に作曲された《春の海》は、尺八と箏の二重奏の曲です。尺八は前面に4孔、背面に1孔の指孔がある管楽器です。箏は13本の弦を持ち、琴柱（ことじ）を立てて、弦の振動する部分の長さを変え、音の高さを決定します。弦は奏者から見て一番遠い弦から順に、一、二、三、四、五、六、七、八、九、十…と呼ばれます。《春の海》の箏の調弦は、民謡のテトラコルドと都節のテトラコルドが交互に積み重ねられた形となっています（譜例85）。

譜例85　箏の調弦

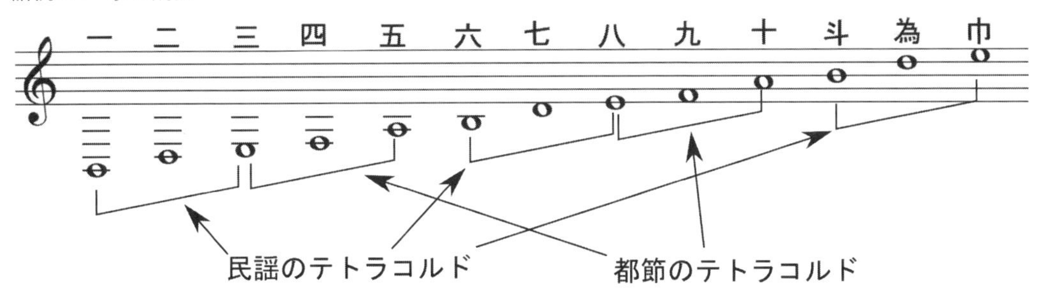

明治になって、日本は西洋の文化を摂取するようになります。箏曲家の宮城道雄は、西洋音楽の長所を取り入れようとした新日本音楽の中心人物で、《春の海》も西洋音楽的な特徴を持っています。伝統的な日本音楽では、それぞれの楽器が演奏する旋律は本質的に同一で、メロディの装飾を行いながら絡み合っていく、「ヘテロフォニー」と呼ばれるスタイルでつくられています。対して、《春の海》の尺八と箏のパートは、独立したメロディを持ち、西洋音楽的な三部形式の楽曲として構成されています。1932年に来日したフランスのヴァイオリニスト、ルネ・シュメーは、《春の海》を気に入ってヴァイオリン用に編曲し、レコードが海外でも発売されました。外国人にもわかりやすい日本の音楽だったのでしょう。

《春の海》は1930（昭和5）年の歌会始の勅題「海辺巌（かいへんのいわお）」にちなんで作曲されました。宮城道雄は「大体の気分は、私が瀬戸内海を旅行した際に、瀬戸内海の島々の綺麗な感じを描いたもので、ここが波の音、ここが鳥の声と言ってしまうと面白くないが、大体は、のどかな波の音とか、舟の艪（ろ）を漕ぐ音とか、また、鳥の声というようなものを織り込んでいる」と述べています。曲想の違いとともに、メロディ（尺八）と伴奏（箏）のスタイルで始まる初めの部分と、二つの楽器の掛け合いでできた中間部の、音の重なり方の違いにも注意して聴きましょう。

11. ジョスカン・デ・プレ《ミサ・パンジェ・リングア》──合唱曲、通模倣様式【中学校】

ジョスカン・デ・プレ（1440頃-1521）はルネサンス盛期の大作曲家で、《ミサ・パンジェ・リングア》は代表作です。ミサは、イエス・キリストの12人の弟子のひとり、ペトロを初代教皇とし、現在まで続くカトリック教会の儀式です。レオナルド・ダ・ヴィンチの絵画の題材にもなった「最後の晩餐」に由来し、キリストの死と復活を記念して行われます。ミサの形式はほとんど同じですが、内容は教会暦に従い、祈祷文には教会暦によって変化する「固有文」と変化しない「通常文」とがあります。一般に、キリエ（あわれみの賛歌）、グローリア（栄光の賛歌）、クレド（信仰宣言）、サンクトゥス（感謝の賛歌）、アニュス・デイ（平和の賛歌）という五つのミサ通常文に作曲された音楽が「ミサ曲」と呼ばれます。

中世にはグレゴリオ聖歌がミサで歌われていましたが、9世紀頃には多声音楽も現れます。最初は基になるグレゴリオ聖歌（定旋律と呼ばれます）に平行して新しい旋律が重ねられる「平行オルガヌム」でしたが、重ねられるメロディは独立性が高くなります。13世紀後半には、「アルス・ノヴァ（新しい技術）」と呼ばれる音楽が興り、ギヨーム・ド・マショー（1300-77）は五つの通常文を含む通作の《ノートルダム・ミサ》を作曲しました。

ルネサンス時代に音楽のスタイルはさらに変化し、すべての曲に一つの定旋律を用いる「循環ミサ」という手法が現れ、全楽章に統一感を与えます。各声部が対等に動くようになり、定旋律には聖歌だけではなく、世俗音楽のメロディも用いられるようになりました。現在のわれわれが慣れ親しんでいる調性の音楽に近づき、ルネサンス音楽がミサ曲のフォーマルなスタイルとして、後の時代にも受け継がれていきます。

《ミサ・パンジェ・リングア》の定旋律は、現在も歌い継がれている聖体賛歌《パンジェ・リングア》（譜例86）で、譜例87は最初の曲、〈キリエ〉の冒頭部分です。ノートルダム楽派やアルス・ノヴァの音楽とは異なり、聖歌のメロディに基づいていることは、聴いてすぐにわかります。テノールで歌い出されるメロディは1小節遅れてバスで模倣され、第5小節ではソプラノ、第6小節ではアルトに受け渡されていきます。声部間で次々に模倣される手法は「通模倣」と呼ばれ、フーガという曲種に発展していきます。

譜例86　聖体賛歌《パンジェ・リングア》：冒頭部分

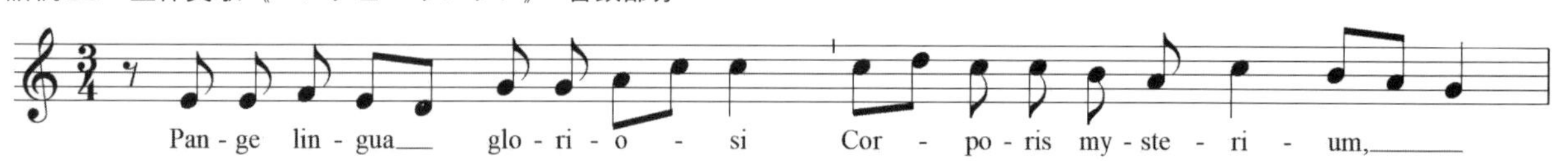

譜例87　《ミサ・パンジェ・リングア》：〈キリエ〉冒頭部分

12.　ヴィヴァルディ《和声と創意の試み》より〈春〉〈冬〉

ヴィヴァルディのヴァイオリン協奏曲集《和声と創意の試み》の最初の4曲は「春」「夏」「秋」「冬」のタイトルを持ち、「四季」と総称されています。それぞれの曲はソロ・ヴァイオリン、弦楽合奏、通奏低音という編成で、「急-緩-急」の楽章構成を持ち、音楽の部分的なまとまりや楽章に、ソネット（14行詩）の各行の描写が対応しています。

(1)〈春〉──バロックの協奏曲、リトルネッロ形式【中学校】

〈春〉はホ長調の楽曲です。第1楽章はリトルネッロ形式で、軽快なテンポ（Allegro）の楽章です。演奏者全員で演奏（トゥッティ）され、リトルネッロと呼ばれて何回もくり返される楽章冒頭部分は、二つのメロディでできています（譜例88）。「a1」のメロディがくり返された後、「a1」から導かれる「a2」のメロディに移ります。次に「鳥の歌」と付されている譜例89の部分が続き、ソロ・ヴァイオリンと弦楽パート（ヴァイオリン）のトップ奏者によって、鳥の鳴き声が響きわたる状況が表現され、春を歓迎する歌を小鳥が歌います（譜例90）。

譜例88　第1楽章：春がやって来た

譜例89　第1楽章：鳥の歌

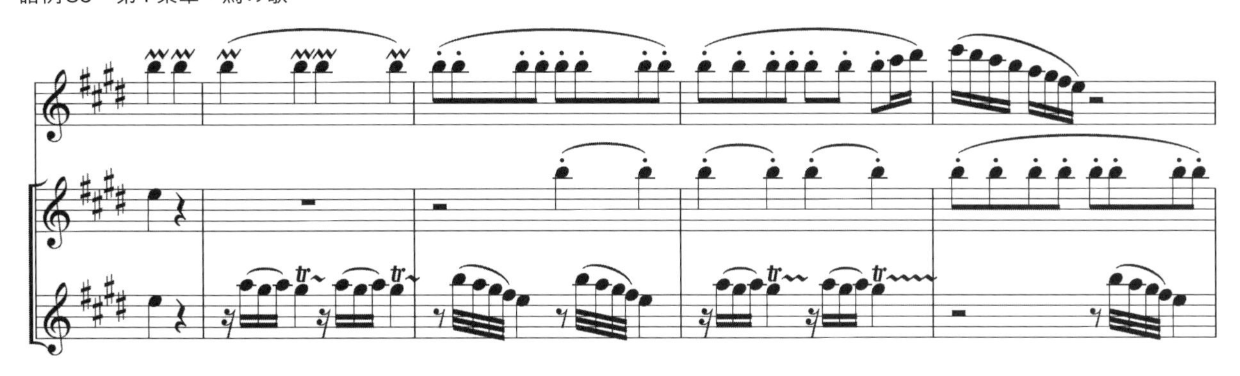

譜例90　第1楽章：小鳥は楽しい歌で、春を歓迎する

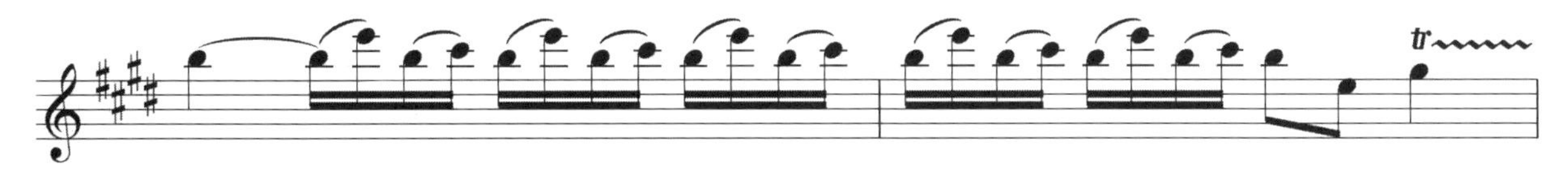

リトルネッロ部（譜例88「a2」）が再帰し、その発展として譜例91の部分が演奏されます。次に「a2」がロ長調（属調）で再現され、譜例92に発展します。この部分では、ソロ・ヴァイオリンと弦楽合奏による、緊張に満ちた掛け合いが行われます。

譜例91　第1楽章：泉はそよ風に誘われ、ささやき流れていく

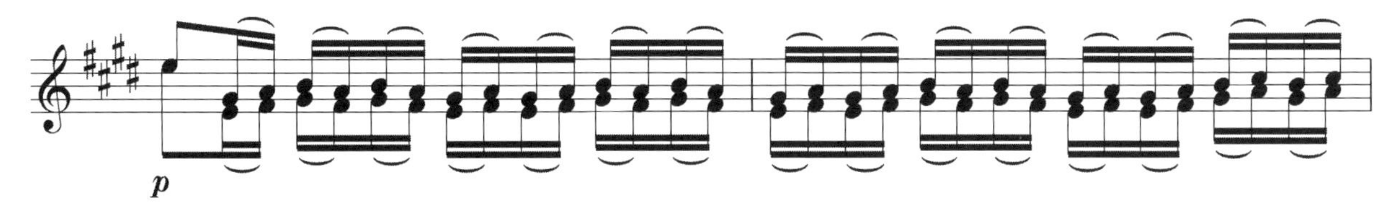

譜例92　第1楽章：黒雲と稲妻が空を走り、雷鳴は春が来たことを告げる

リトルネッロ部「a2」が嬰ハ短調で現れ、譜例93の部分に受け継がれた後、メロディはさらに展開、発展し、最後にリトルネッロ部が主調で再現されて曲を閉じます。

譜例93　第1楽章：嵐がやむと、小鳥はまた歌い始める

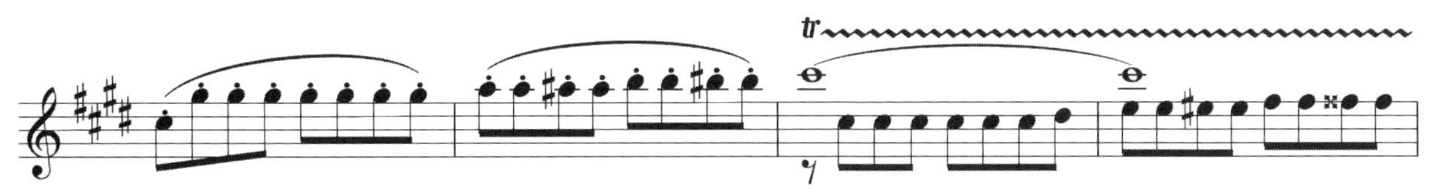

嬰ハ短調の第2楽章では、ソロ・ヴァイオリンにより息の長いメロディ（譜例94）が2回演奏されます。

譜例94　第2楽章：花ざかりの美しい草原で、木々の枝はざわめき、ヤギ飼いは眠る、忠実な犬のかたわらで

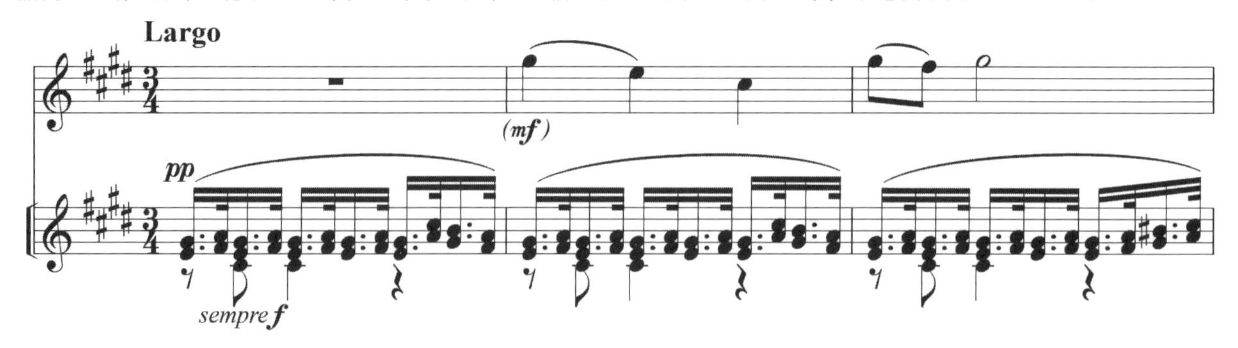

第3楽章はリトルネッロ形式。第1楽章と同じように、トゥッティによるリトルネッロ部（譜例95）が何度も再現され、その間に、ソロ楽器による部分が挿入されていきます。

譜例95　第3楽章：素朴なバグパイプのお祭りの音に導かれて、ニンフと羊飼いたちは春の華麗な天蓋の下で軽やかに踊る

「a1」のメロディは第1楽章では冒頭に現れるだけですが、第2、第3楽章の主要メロディは「a1」から導かれています（譜例96）。メロディの繋がりにも注意しましょう。

譜例96　各楽章のメロディの連関

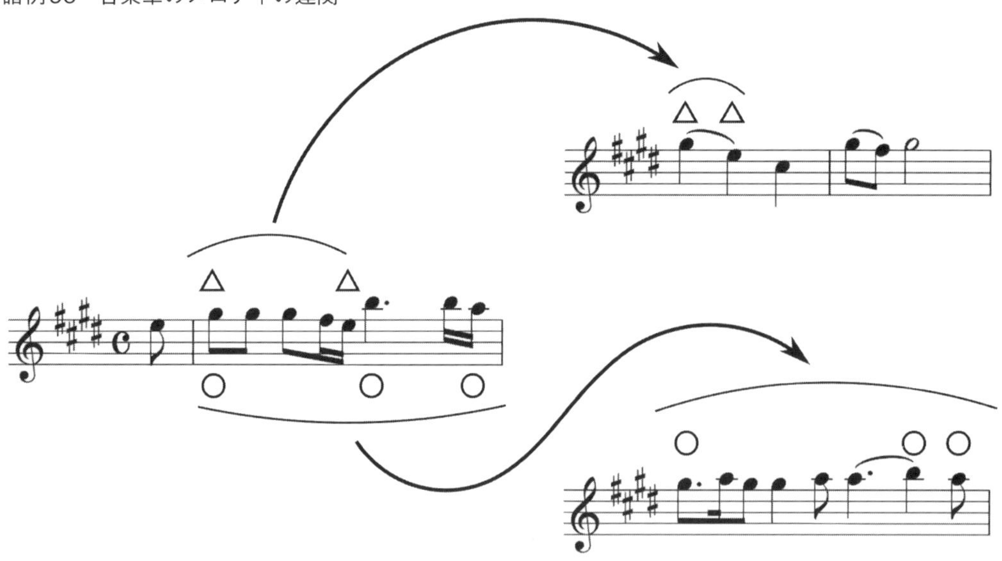

(2)〈冬〉――ソネットの情景描写【中学校】

第1楽章は、アレグロ・ノン・モルト、ヘ短調、4分の4拍子。第2楽章は、ラルゴ、変ホ長調、4分の4拍子。第3楽章は、アレグロ、ヘ短調、8分の3拍子。2、3楽章は続けて演奏されます。一般的な協奏曲と同じように、急-緩-急の楽章配置になっていますが、それぞれの楽章が明確な形式を持つわけではなく、ソネットに基づいています。

第1楽章はトゥッティとソロが交代していきます。トゥッティには二つの型があります（譜例97、

99）が、短い音価の音符で和音の構成音を刻み、冬の空気感を表現しているところが共通しています。冒頭の部分（譜例97）には、「凍てつき震えている　冷たい雪の中で」と記され、その後、「恐ろしい風の　激しい息吹を受けて」と記されたソロ（譜例98）が突然に現れて、譜例97のスタイルによる合奏を挟みながら演奏されていきます。「常に足を踏みつけながら　みな走っている」と記された、第2のトゥッティが現れ（譜例99）、それを発展させるソロの部分が「風」と記された短い合奏を間に挟みながら演奏された後、譜例97のスタイルによる第3のトゥッティとなります。次のソロの部分には「そしてあまりの寒さに　歯も震え音を立てる」と記されています（譜例100）。最後に譜例99のスタイルによる4回目のトゥッティとなって終えます。

第2楽章では、「雨」と記されたピッチカートによる伴奏を背景に、「暖炉のかたわらで　静かで満ち足りた時が過ぎていく　外は大雨　何百人もの人を濡らしている」と記されたメロディ（譜例101）が、ソロによって演奏されていきます。

第3楽章は、「氷の上を歩く」と記されたソロによって開始され（譜例102）、「氷の上をゆっくりと歩く　ころばないように気をつけながら」と記されたトゥッティが続きます（譜例103）。その後、「突然地面に滑り落ちる」ことになります（譜例104）。そして、「もう一回氷の上を速く走る　氷が壊れ裂け目ができるほどに」の部分がソロを中心に演奏された後、「閉ざされた扉を開ければ聴くことになる　シロッコの風」と記された譜例105の部分を経て、ソロとトゥッティによる「シロッコの風（暖かい南風）ボレアの風（寒風）そして戦っているすべての風」と記された部分が続きます（譜例106）。最後の4小節には「これが冬だが　このような喜びをもたらす」と書き添えられています。

譜例97　第1楽章：凍てつき震えている　冷たい雪の中で

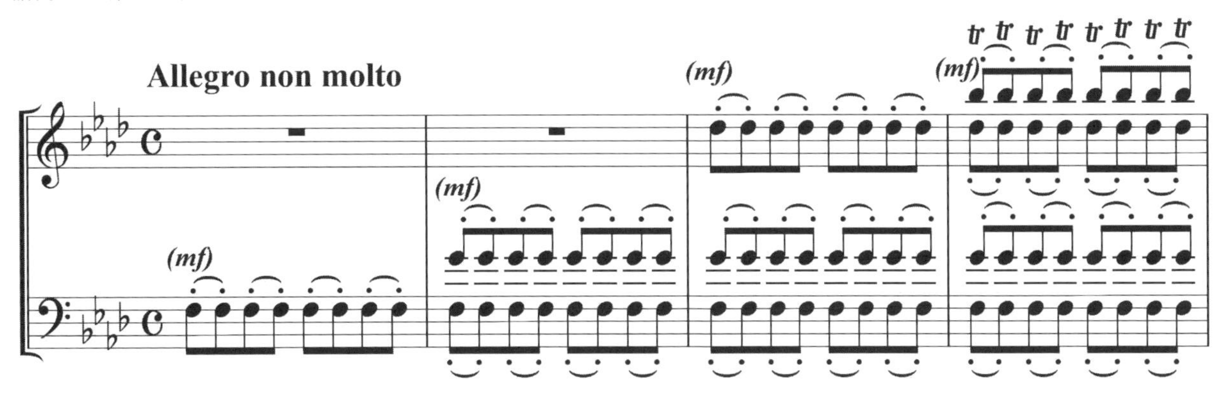

譜例98　第1楽章：恐ろしい風の　激しい息吹を受けて

譜例99　第1楽章：常に足を踏みつけながら　みな走っている

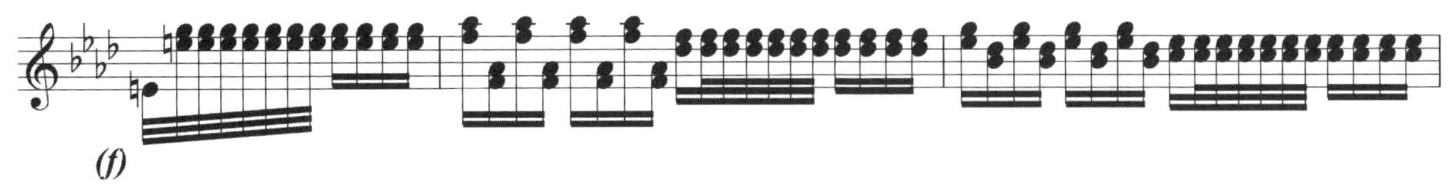

譜例100　第1楽章：そしてあまりの寒さに　歯も震え音を立てる

譜例101　第2楽章：暖炉のかたわらで　静かで満ち足りた時が過ぎていく　外は大雨　何百人もの人を濡らしている

譜例102　第3楽章：氷の上を歩く

譜例103　第3楽章：氷の上をゆっくりと歩く　ころばないように気をつけながら

譜例104　第3楽章：突然地面に滑り落ちる

譜例105　第3楽章：閉ざされた扉を開ければ聴くことになる　シロッコの風

譜例106　第3楽章：シロッコの風（暖かい南風）ボレアの風（寒風）そして戦っているすべての風

13. J. S. バッハ《フーガ ト短調　BWV578》――フーガ【中学校】

J.S.バッハの《フーガ ト短調　BWV578》は、もう一つのト短調のフーガ《幻想曲とフーガ ト短調　BWV542》（大フーガ）と区別するため、小フーガと呼ばれています。フーガはいくつかの声部から成り、一つの声部のメロディを他の声部が模倣していきます。メロディと伴奏というような主従の関係はなく、独立したメロディ・ラインが重ね合わせられて音楽全体の流れがつくられ、主題、応答という比較的長いまとまりを持つメロディと断片的な短いメロディによって構成されています。同じテンポでも、メロディが長ければ遅く、音楽は落ち着き、短ければ速く、音楽はもり上がるように感じます。声部が独立しているフーガでは、長いまとまりを持つメロディが終わらないうちに、他の声部で新たなメロディをかぶせ、その「頭距離」によって長さをコントロールすることがあります。

クラシック音楽は「主調に始まり、主調とは異なる調の部分を経て、主調に戻る」という大まかな流れを持っています。主調の次に重要な調は属調（主調の5度上の調）です。フーガでは、主調と属調の関係が、提示されるメロディと模倣するメロディに現れ（応答）、一つのセットとして扱われます。このフーガでは、主題がト短調、応答はニ短調です。

フーガは大きく三つの部分からできています。第1の部分では主題と応答が声部の数だけくり返されます。4声のフーガであるこの曲では、第1の声部が主題を提示し、第2の声部が応答（譜例107）、第３の声部が主題、第4の声部が応答というように、模倣していきます（3声のフーガでは「主題-応答-主題」）。「主題-応答」というセットの後に、通常短い移行部を経て、次のセットが始まります。

声部の数だけ主題と応答がくり返された後に、第2の発展・展開の部分に移ります。一つの主題しか持たないフーガの発展・展開は、主として、メロディの長さのコントロールと調性の変化の二つの方法を用います。第２の部分は、一般に、主調による主題から始められます。小フーガも主調であるト短調で開始されますが、1小節遅れて別の声部による主題が重ねられ、主題の後半はこの声部のものが聴かれることになります。第２の部分では（属調以外の）さまざまな調で主題が配置され、小フーガでは変ロ長調、ハ短調が選ばれています。主題の後には挿入部分が続き、次の主題を準備することになります。短い音型の反復によって、上行・下行するメロディの大きな方向性が描かれ、音楽のうねりや、クライマックスは、挿入部分でつくられるといえるでしょう。

曲の最後に、もう一度、主題は主調に戻ります。短いこの部分が第３の部分となります。第１と第３の部分はどのフーガにも共通ですので、構成的には、第２の部分に曲による違いが現れます。

フーガにおける発展・展開の芽は主題の中にあります。小フーガでは、主題の中で何度も「ソ-レ」（譜例107、○で記した隣り合った2つの音による、完全5度、あるいは完全4度）の音を聴くことになり、完全5度（4度）は主題の開始に結びつけられます。また、「シ♭-ラ-ソ」という三つの音も、くり返し聴くことになります（譜例107の下線部）。第5小節で、この三つの音は、音型の反復によって生み出される外形としても現れ、続く第6小節では、高さを変えていくことになります（譜例107の▽）。

譜例107　第1～6小節

14. ベートーヴェン《交響曲第5番 ハ短調「運命」》作品67——ソナタ形式【中学校】

この作品は、印象的な序奏的主題によって開始されます（譜例108）。同じ高さの音が短い音価で3回鳴らされた後に、低い音が長く延ばされます。このユニット「運命の動機」が二つ繋ぎ合わされて序奏的主題となり、さまざまな方法によるユニットの組み合わせや、ユニット自体の変形によって、音楽は生き生きと発展していきます。

譜例108　第1楽章：序奏的主題

第1楽章はソナタ形式。譜例109は序奏的主題に続く、第1主題部冒頭の部分です。私たちは、「ソ-ソ-ソ-ミ♭／ラ♭-ラ♭-ラ♭-ソ／ミ♭-ミ♭-ミ♭-ド」「ソ-ソ-ソ-レ／ラ♭-ラ♭-ラ♭-ソ／ファ-ファ-ファ-レ」というように、上に述べた「運命の動機」の連続をメロディとして聴くのですが、同時に、○で囲んだ「ミ♭-ソ-ド」「レ-ソ-レ」という、「運命の動機」の最後の音による上行する和音構成音の連なりを、無意識のうちに聴いています。これは曲の中で重要な役割を担います。

譜例109　第1楽章：第1主題開始部

主題の提示の後、第1主題から第2主題へと移るための推移の部分に入ります（譜例110）。「運命の動機」の連続を何回も聴いているので、推移部は自由に変形された「運命の動機」の連続によってできているように聞こえてきます。音楽は進み、クライマックスを経た後、「運命の動機」によって、変ホ長調の第2主題が導かれます（譜例111）。

譜例111の第2主題導入の役割を持つ「運命の動機」の「シ♭－ミ♭－ファ－シ♭」と同じ音高の連なりが第2主題のメロディの外形となっているので、私たちは、音楽の自然な流れの中で、この新しい主題を聴くことができます。また、▽で示した音の関係は、推移部の冒頭、ハ短調の文脈の中で、私たちはすでに聞いています（譜例110）。推移部で、「運命の動機」の変化・発展を追いかけているときに、無意識に聞いていた音高同士の関係が、ここでは、第2主題として意識的に聴かれることになります。再現部では第2主題はハ長調で、まさに譜例110の▽、「ソ－ド－シ♮－レ」の音を聴きます。ソナタ形式の第1主題と第2主題は対照的な性質を持つとされ、この曲でも調性やメロディの性格は対照的ですが、第1主題から推移部や第2主題が導き出されていることがわかります。

譜例110　第1楽章：第1主題から第2主題への推移

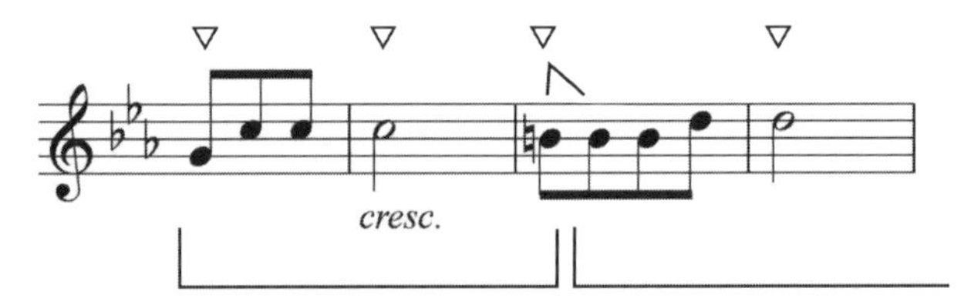

譜例111　第1楽章：第2主題

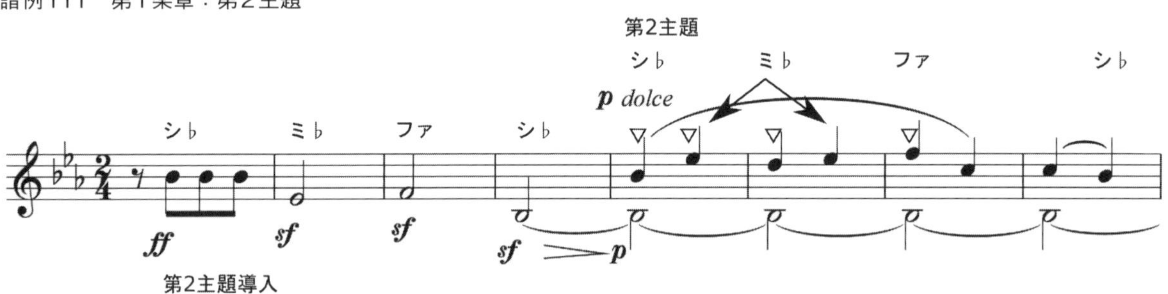

第2楽章は変イ長調の変奏曲です。二つの主題を持ち、その二つの主題が、ソナタ形式の提示部を連想させるようなまとまりをつくり、そのまとまりが変奏されていきます。最初の主題は、第1楽章第1主題で暗示されていた、上行する和音構成音（「ミ♭－ラ♭－ド」）で開始されます（譜例112）。メロディの始まりの二つの音の関係（変イ長調「ミ♭－ラ♭」）は、第1楽章第2主題（変ホ長調「シ♭－ミ♭」）と同じで、音楽の自然な流れの中で、第2楽章の主題を受け入れることになります。開始部分が同じリズム型で、二つ目の主題（譜例113）が最初の主題（譜例112）から導き出されたことがわかりますが、最初の主題の冒頭「ミ♭－ラ♭－ド」は二つ目の主題のメロディの外形としても使われています。

譜例112　第2楽章：第1主題

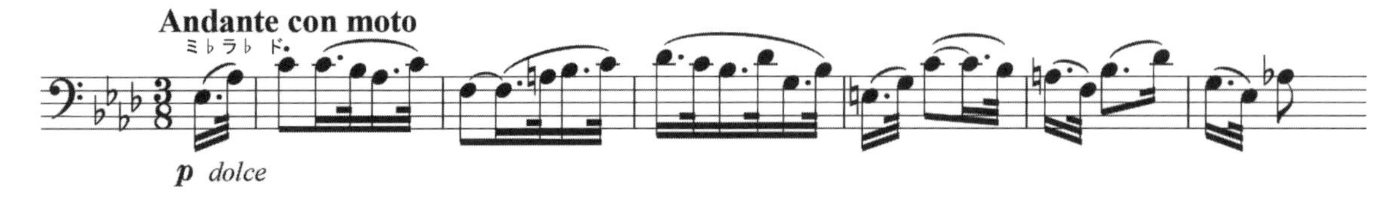

譜例113　第2楽章：第2主題

第3楽章はハ短調、複合三部形式。冒頭主題（譜例114）は、第2楽章の最初の主題から導かれています。第2楽章の最初の主題の始まりの三つの音（変イ長調「ミ♭－ラ♭－ド」）について、主音を「ド」とすれば「ソ－ド－ミ」、長調と短調の違いはありますが、最初の三つの音は第3楽章の冒頭主題の三つの音と一致します。二つ目の主題（譜例115）は、変形された「運命の動機」の連続（同じ音が短い音符で3回くり返され、長い音が続く）によって開始され、発展したものです。

中間部はハ長調へ転調します。最初の「ソ」の音はありませんが、中間部主題の外形「ド－ミ－ソ」は冒頭主題（譜例114）から、「ド」のくり返しは、第2の主題から受け継がれています。譜例116の8分音符による最初の部分は、音階的な上行によって組み立てられていますが、この音階的な上行は、後半、メロディの外形「ソ－ラ－シ」に受け継がれていきます。主題1、2（譜例114、115）による最初の部分に回帰して終わります。

譜例114　第3楽章：冒頭主題

譜例115　第3楽章：第2の主題

譜例116　第3楽章：中間部主題

第4楽章はハ長調、ソナタ形式。第4楽章の主題は、第3楽章中間部主題の外形であり、第3楽章最初の主題に由来する「ド－ミ－ソ」で開始されます（譜例117）。メロディの後半の部分は、音階的な上行によって発展し、その発展の延長線上に、音階的な動きを持つト長調の第2主題が現れます（譜例118）。以上のように、この曲では楽章間に密接な繋がりがあり、楽曲全体が一つの大きなまとまりとして構築されています。

譜例117　第4楽章：第1主題

譜例118　第4楽章：第2主題

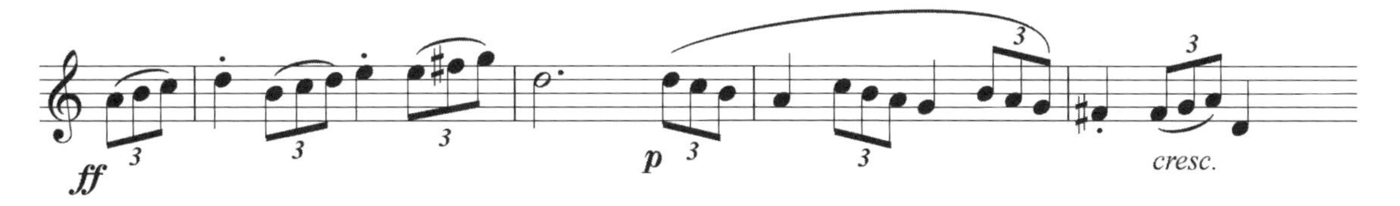

15. シューベルト《ピアノ五重奏曲「鱒」》第4楽章――室内楽曲、変奏曲【中学校】

古典派・ロマン派の時代には、現在に繋がる楽器編成の型が定着します。例えば、二つのヴァイオリン、ヴィオラ、チェロから成る、弦楽四重奏はその代表的なものでしょう。弦楽四重奏にソロ楽器を加える編成もよく見られ、例えばクラリネット五重奏は、クラリネットと弦楽四重奏という編成です。その意味で、ピアノ五重奏と言えば、通常、ピアノと弦楽四重奏という楽器編成を思い浮かべますが、1819年に作曲されたこの曲は、ピアノ、ヴァイオリン、ヴィオラ、チェロ、コントラバスによる五重奏曲です。

第4楽章は、1817年に作曲された歌曲「鱒」の主題と五つの変奏から成る「変奏曲」です。弦楽合奏のみで演奏され、ヴァイオリンによる主題の後、第1変奏ではピアノ、第2変奏ではヴィオラ、第3変奏ではチェロとコントラバスが主旋律を担って変奏をくり広げていきます。第3変奏まではニ長調ですが、第4変奏はニ短調で曲想が変化し、チェロが主旋律を担う第5変奏では変ロ長調へと転調し、最後はニ長調の主題が再び現れます。

実は、この曲のすべての楽章の主題は導入部のメロディと関連があり、第1楽章から続く音楽の流れにのって、第4楽章の主題が自然に導かれるようにつくられています。第1楽章はイ長調4分の4拍子。分散和音で開始され（譜例119上）、この分散和音の音を外形に持つ、導入部のメロディが続きます（譜例119下）。導入部のメロディの中、「※1」は主音を「ド」とすると「ソ‐ド‐ミ」となる音の連なり、「※2」は音階的な下行、「※3」は、主音を「ド」とすると「ミ‐ソ」となる音の連なり、「※4」は音階的な上行を示しています。導入部のメロディが発展し、第1楽章の主題となります（譜例120）。

譜例119　第1楽章：分散和音と導入部のメロディ

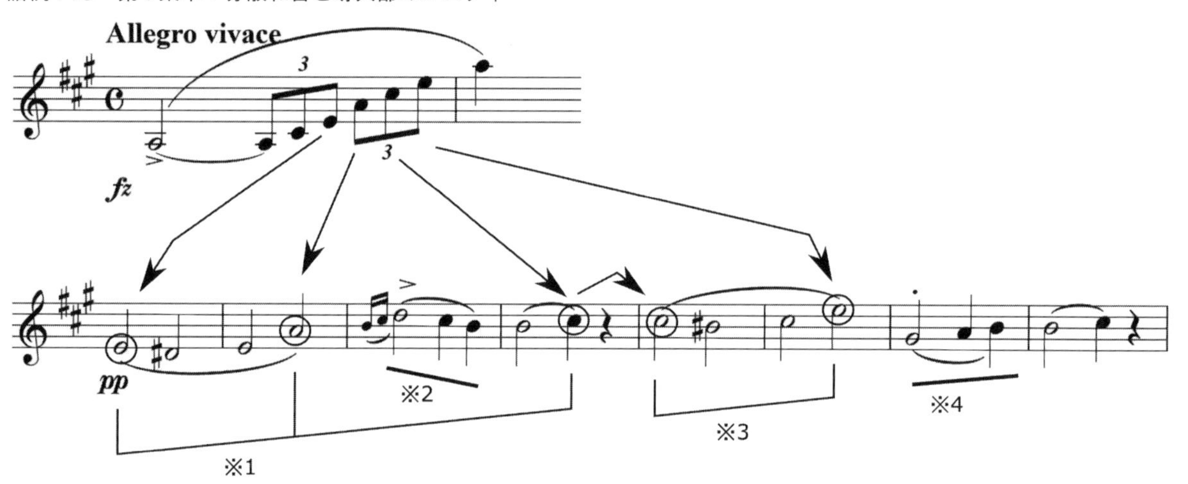

譜例120　第1楽章：主題

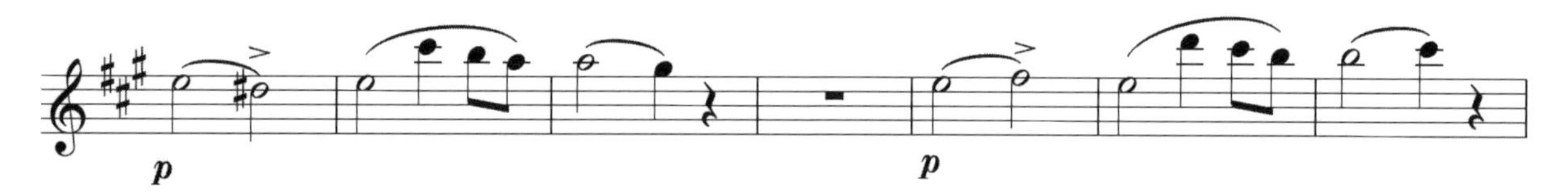

第2楽章はヘ長調4分の3拍子。音高同士の関係が、導入部後半のメロディとよく似ています（譜例121）。

譜例121　第2楽章：主題

第3楽章は「○」で示したように、譜例119の分散和音の音を外形に持つメロディを冒頭部分に持ち「▽」で示した、音階的な下行に繋げられています（譜例122）。

譜例122　第3楽章：主題

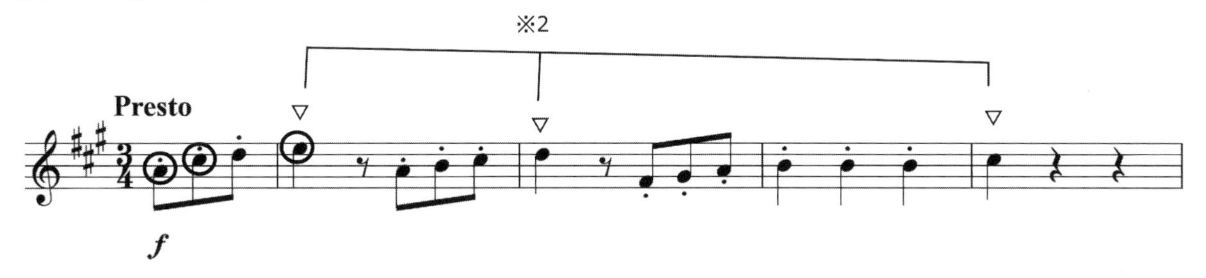

第4楽章はニ長調4分の2拍子。主題は主音「レ」を「ド」と考えたとき、「ソ－ド－ミ」で始まるメロディです（譜例123）。

譜例123　第4楽章：主題

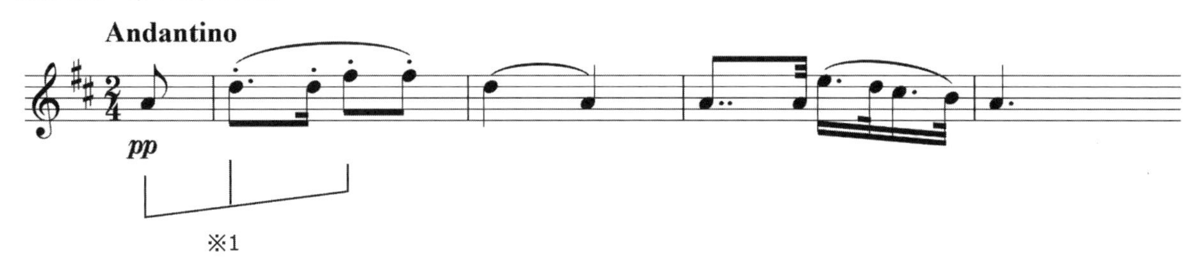

第5楽章はイ長調4分の2拍子。音階的な下行で始まるメロディです（譜例124）。

譜例124　第5楽章：主題

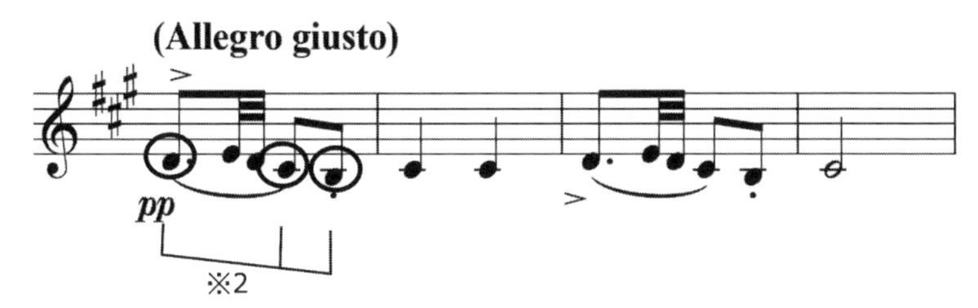

16. スメタナ《交響詩「ヴルタヴァ（モルダウ）」》──国民楽派の標題音楽【中学校】

《交響詩「ヴルタヴァ（モルダウ）」》は、スメタナの代表的作品で、祖国の自然と伝説を題材にした連作交響詩《わが祖国》（全6曲）の第2曲です。交響詩とは、標題を持つオーケストラ曲のことで、スメタナはチェコの国民音楽を打ちたてようとしました。《交響詩「ヴルタヴァ」》は、チェコのプラハを流れるヴルタヴァ川をテーマにした音楽です。当時のチェコはオーストリアの支配下にあり、「モルダウ」はドイツ語名です。この作品は、8分の6拍子のホ短調で書かれていますが、描写の内容に合わせて、拍子が変化し、最後は同じ主音の長調、ホ長調（同主調）で終わります。全体は六つの部分から成り、ヴルタヴァの流れそのものや、沿岸に見えてくる風景などが描写されます。

最初の部分は、「ヴルタヴァの源」と楽譜に記されています（譜例125）。作品を通して「水の動き」は16分音符の音型で表現されます。水源から流れ出る水が水量を増し、その動きを背景に、ついには主要主題が奏されることになります（譜例126）。

譜例125　ヴルタヴァの源

譜例126　主要主題

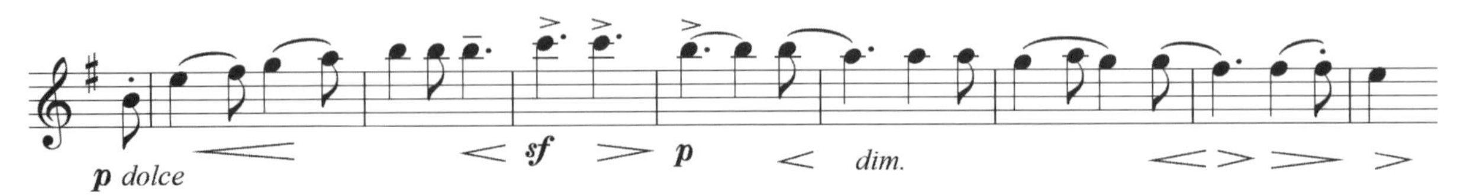

第2の部分は「森の狩猟」で、角笛（ホルン）が狩りの音楽を響かせます（譜例127）。

譜例127　森の狩猟

第3の部分は「農民の踊り」で、4分の2拍子のポルカです。婚礼の喜びに人々が踊る様子が表現されています（譜例128）。

譜例128　農民の踊り

第4の部分は変イ長調、4分の4拍子で、「月の光・水の精の踊り」の注釈があります。16分音符と3連符の組み合わせよって表現される「水の精の踊り」の上に、静かに「月の光」が降り注ぎます（譜例129）。

譜例129　月の光

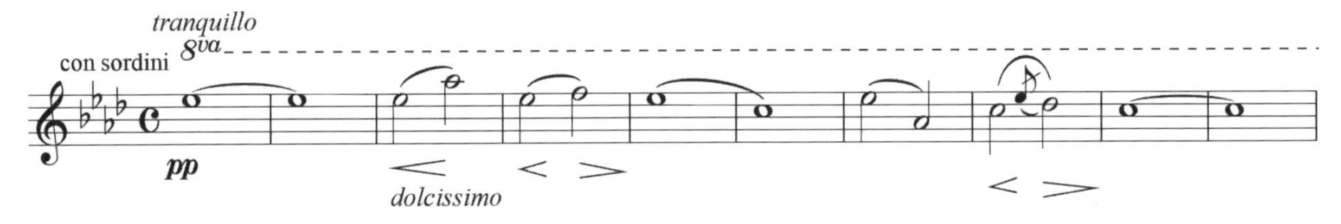

激しい「聖ヨハネの急流」（第5の部分）を過ぎて、ヴルタヴァは堂々と流れていきます（第6の部分、譜例130）。

譜例130　ヴルタヴァは堂々と流れていく

高い城（ヴィシェフラド）が見えてきます。〈ヴィシェフラド〉の動機（譜例131）は、《わが祖国》の第1曲、《交響詩「ヴィシェフラド」》のメロディ（譜例132）に由来します。

譜例131　〈ヴィシェフラド〉の動機

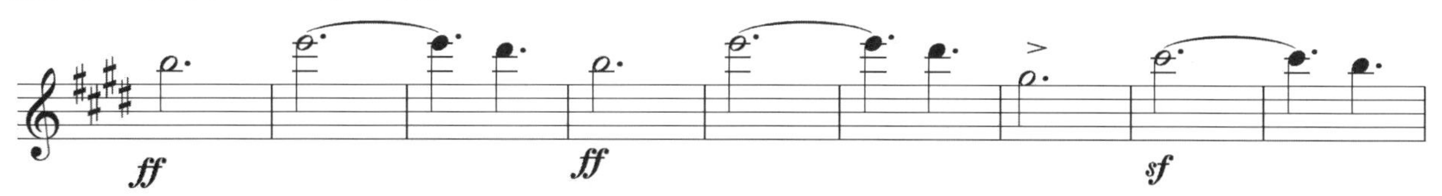

譜例132　《交響詩「ヴィシェフラド」》のメロディ

17. ムソルグスキー作曲《組曲「展覧会の絵」》――国民楽派の音楽、変拍子【中学校】

《組曲「展覧会の絵」》は、ムソルグスキーが友人ガルトマンの遺作展を機に作曲したピアノ曲ですが、ラヴェルが編曲したオーケストラ版によって有名になりました。絵にちなんだ10曲（譜例133～143、それぞれの曲のタイトルはラヴェル編曲のオーケストラ版に基づいています）とその間に配置された〈プロムナード〉から成っています。

「プロムナード」は「遊歩道」、「散策」などを意味するフランス語で、ある絵から別の絵に移る歩みの表現でしょう。絵画鑑賞に見立てた組曲ですが、曲の間に〈プロムナード〉がくり返し挿入されることによって、楽曲全体が一つにまとめられています。最初の〈プロムナード〉は変ロ長調。4分の5拍子と4分の6拍子が交代する5音音階「シ♭、ド、レ、ファ、ソ」でできたメロディが印象的です（譜例133）。

譜例133　〈プロムナード〉冒頭部分

〈プロムナード〉に続く第1曲〈小人〉は変ホ短調。4分の3拍子と4分の4拍子の部分が混在しています。4分の3拍子の部分では、同じ音型が速く演奏された後に、遅く演奏され（譜例134）、動きの変化が激しい曲になっています。

譜例134　第1曲〈小人〉冒頭部分

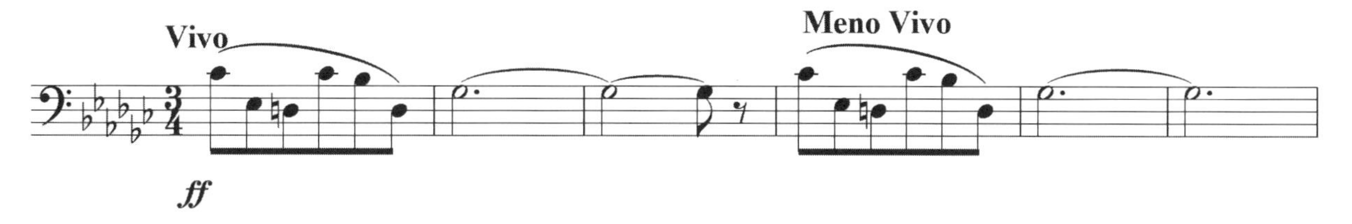

2番目の〈プロムナード〉（変イ長調）が挿入された後、第2曲〈古城〉（嬰ト短調）となります。1曲を通して、「ソ♯」が低音として流れ、背景となる旋律と絡み合いながら、主題（譜例135）が演奏されていきます。

譜例135　第2曲〈古城〉冒頭部分

3番目の〈プロムナード〉（ロ長調）に続く第3曲〈テュイルリー〉は、ロ長調、4分の4拍子の軽快な曲です（譜例136）。テュイルリーはテュイルリー宮殿跡の庭園のことで、「遊んだあとの子どものけんか」という副題を持つ楽譜もあります。

譜例136　第3曲〈テュイルリー〉冒頭部分

第3曲の次には第4曲〈ブイドロ〉が続きます（譜例137）。ポーランドの牛車を描いた絵に基づく曲で、嬰ト短調、4分の2拍子で書かれ、古い民謡が使われています。

譜例137　第4曲〈ブイドロ〉冒頭部分

4番目の〈プロムナード〉（ニ短調）が挿入された後、第5曲〈卵の殻をつけたひなどりのバレエ〉が続きます（譜例138）。ヘ長調の軽快な2拍子の曲です。

譜例138　第5曲〈卵の殻をつけたひなどりのバレエ〉冒頭部分

Scherzino Vivo leggiero

pp

第5曲の後は、第6曲〈ザムエル・ゴールデンベルクとシュムイル〉が続きます（譜例139）。第6曲には〈Rich and Poor〉というタイトルがつけられた楽譜もあります。対照的な2人のユダヤ人の絵に基づいた曲で、変ロ長調、4分の4拍子を基本としています。

譜例139　第6曲〈ザムエル・ゴールデンベルクとシュムイル〉冒頭部分

原曲では、第6曲の後に変ロ長調の5番目の〈プロムナード〉が挿入されていますが、ラヴェル編曲のオーケストラ版では削除されています。次の第7曲と第8曲は連続して演奏され、第7曲〈リモージュの市場〉は、4分の3拍子の中間部を持つ、軽快な変ホ長調の4分の4拍子の曲です（譜例140）。第8曲〈カタコンブ〉は、地下の墓地を連想させる、ゆっくりとしたイ短調の曲で（譜例141）、〈死せる言葉による死者の呼びかけ〉と名づけられた部分が続きます（ロ短調、4分の6拍子）。これは〈プロムナード〉の変奏です。

譜例140　第7曲〈リモージュの市場〉冒頭部分

譜例141　第8曲〈カタコンブ—ローマ時代の墓〉冒頭部分

第9曲と第10曲も続けて演奏され、第9曲〈鶏の足の上に建っている小屋—バーバ・ヤガー〉は、主たる部分が4分の2拍子のイ短調の楽曲です（譜例142）。バーバ・ヤガーはスラブ民話に登場する妖婆です。第10曲〈キエフの大門〉は、変イ長調、4分の4拍子で、キエフ市の門の設計図による音楽です（譜例143）。そのメロディは〈プロムナード〉の変奏で、組曲は壮大に締めくくられます。

音楽の前半では、絵と絵の間を歩いていた作曲者が、後半では絵の中に入り込み、カタコンブの中を歩いたり、キエフの大門を行進したりしているかのように聞こえてくるでしょう。

譜例142　第9曲〈鶏の足の上に建っている小屋—バーバ・ヤガー〉冒頭部分

譜例143　第10曲〈キエフの大門〉冒頭部分Allegro alla breve Maestoso,con grandezza

18. ドビュッシー《版画》より〈塔〉——メロディ・パターンの組み合わせ、五音音階【中学校】

1889年のパリ万国博覧会では、アジアの音楽が紹介され、ドビュッシーはガムラン音楽に強い影響を受けました。ガムラン音楽は、金属打楽器を中心としたアンサンブルです。1903年に出版されたピアノ曲《版画》の第1曲〈塔〉は、ガムラン音楽を連想させます。曲の最初の部分が再び現れるという意味で、クラシック音楽の伝統的な枠組みを持っていますが、クラシック音楽の型から離れたメロディ・パターンの反復や変化、あるいはパターンの組み合わせなどの特徴を味わうことにより、時間の流れに沿って紡ぎ出される〈塔〉の美しさを感じ取ることができるでしょう。譜例144の5音音階が〈塔〉のサウンドの基礎にあります。この五つの音を基礎としながら、それ以外の音が加えられていき、〈塔〉のサウンドは豊かなものになっています。

〈塔〉は譜例145に示した音型のくり返しで始まります。隣り合う2音のぶつかり（「ファ♯」と「ソ♯」）は一種の音色で、曲を通して〈塔〉のサウンドを特徴づけるものです。第3〜4小節（譜例146）は、譜例144の五つの音でできていますが、五音音階以外の音が加えられたり、リズム型が変更されたりしながら、この音型は、何回もくり返されることになります。

第15〜18小節（譜例147）では様子が変わり、同時に鳴っていた隣り合う音は、ここでは3連符で交互に奏される形（左手のパート）に変更されています。右手パート最上声のメロディと左手のパートは譜例148に記した五音音階でできていますが、右手の和音の中では、音階の音とその周辺にある音階以外の音とが頻繁に行き来しています。

また、「ミ♯」のくり返しで始まる第33〜36小節の（五音音階ではない）メロディ（譜例149）は、短い間隔をおいて再帰し、その後、楽曲冒頭部分が再現されることになります。

譜例144　基礎になる五音音階

譜例145　冒頭部分（序奏の音型）

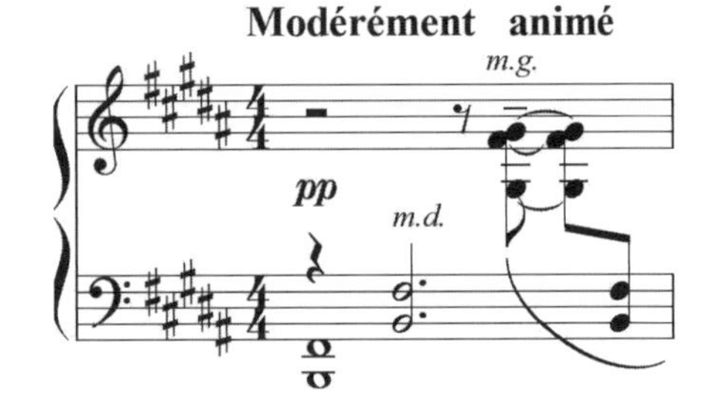

譜例146　主要音型（第3〜4小節）

譜例147　第2部分の冒頭（第15〜18小節）

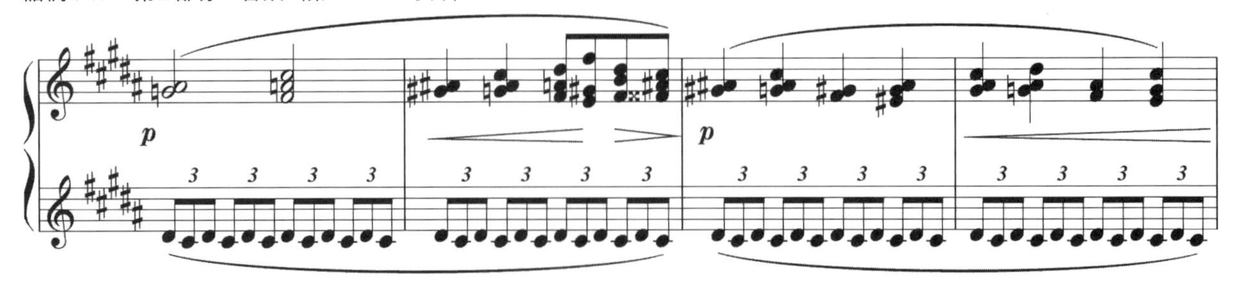

譜例148　第15〜18小節の最上声部と左手の五音音階

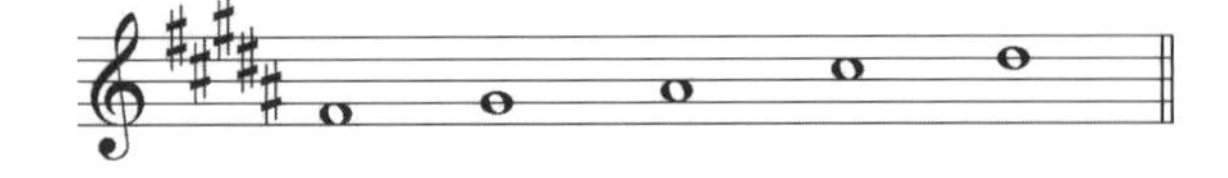

譜例149　第3部分のメロディ（第33〜36小節）

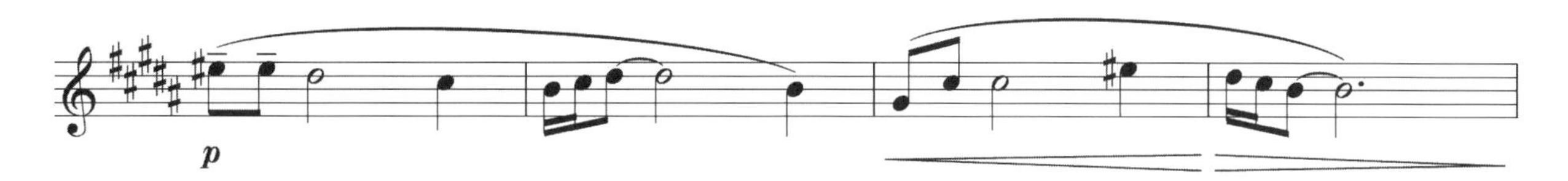

19. ストラヴィンスキー《春の祭典》より〈いけにえの踊り〉
──頻繁に交代する拍子、不協和音【中学校】

ロシア・バレエ団のために作曲された《春の祭典》は、当時の聴衆には斬新すぎ、1913年の初演で大スキャンダルを引き起こしました。ロシアの奥地を想定した、春の到来を言祝ぐ架空の土俗的な儀式をバレエ化したもので、一人の乙女が選び出され、犠牲として神にささげられるという内容です。〈いけにえの踊り〉はその終曲です。

20世紀初頭、「新しい響き」を求めたストラヴィンスキーは、これまで慣れ親しんでいる素材を組み合わせました。譜例150の「a」では、上のパート（全体をこのパートにまとめています）はD7というコードネームで表すことができる「レ－ファ♯－ラ－ド」の和音で、下のパートは「ソ」の音が省略されているとすれば、E♭maj7です。二つの異なった和音を積み重ねることによって、新しい響きが生み出されています。「b」で示した和音は、下のパートが「ド♯－レ－ミ♭」という半音の塊に置き換えられたものです。譜例151では「ソ－レ－ラ」という5度の積み重ねの上にFmaj7「ファ－ラ－(ド)－ミ」の和音が重ねられています。いずれの場合も、部分音（倍音）を共有する音の組み合わせが選ばれており、よく響き、サウンドとしての一体感があります。

リズムについて観察してみましょう。どの部分も異なった拍子が頻繁に交代しています。「長い1拍と短い1拍の組み合わせで大きなまとまりをつくっていくやり方」と考えるとわかりやすいでしょう。譜例150、譜例151では、16分音符三つ分を長い1拍、二つ分を短い1拍としています（基本的には1小節が1拍と考えればよいでしょう）。単位となる拍三つ分を長い1拍、二つ分を短い1拍とする感じ方は、グレゴリオ聖歌の演奏で親しまれてきた方法ですが、ストラヴィンスキーは、それを徹底し、譜例153、154では4分音符三つ分と二つ分の組み合わせによってリズムが表現されています。

全体は「A-B-A-C-(A)-C-A」という形になっています。「A」は譜例150とその発展・変形の組み合わせでできています。「B」では譜例151とその発展・変形の組み合わせによってつくられる流れの上に、譜例152の音型が高さを変えながら挿入されていくことによって、音楽が形づくられていきます。「C」では、主として低弦楽器とティンパニによる譜例153とその発展・変形の組み合わせによってつくられる流れの上に、「レ」の音の持続によって導かれる旋律の断片（譜例154）が絡んでいきます。

譜例150　冒頭部分

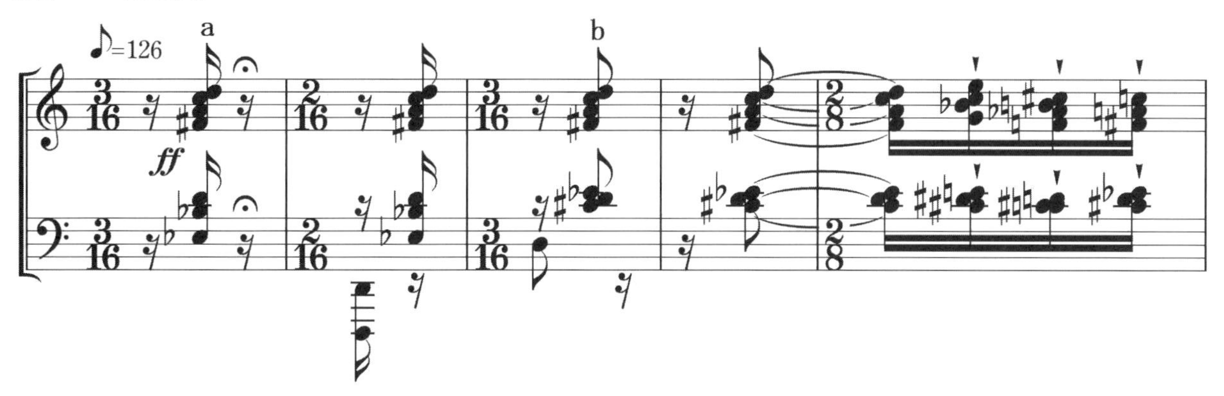

譜例151　第2部分の持続パターン

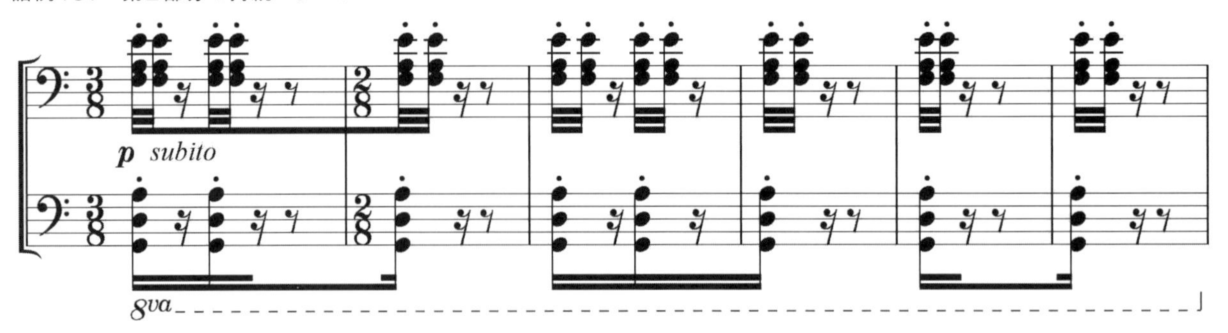

譜例152　第2部分の挿入音型

譜例153　第3部分の持続パターン　sempre molto pesante e*f*

譜例154　第3部分に挿入される旋律断片

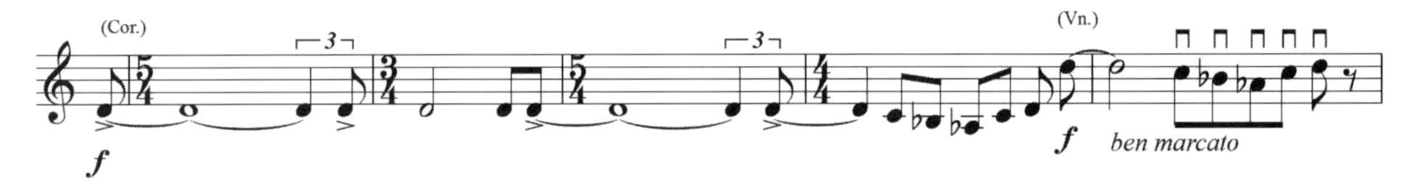

20. シェーンベルク《ワルシャワの生き残り》作品46――12音技法【中学校】

ハイドン、モーツァルトなどに代表される古典派音楽の和声法（ハーモニーの構成法）は19世紀後半には次第に複雑なものとなり、例えば、ハ長調とト長調、すなわち、ソナタ形式の第1主題と第2主題に見られるような明確な調性の対比の代わりに、漂い、色彩の変化を想い起こさせるような音楽や、神秘的な音楽が現れました。そのような作曲スタイルの作曲家として、ヨーロッパに広く影響を及ぼしたのが、ワーグナーです。当時のヨーロッパでは、ワーグナーの音楽に心酔する作曲家、反発する作曲家が入り乱れていました。自らの作品が魅力に満ちたワーグナーの音楽の亜流とならないために、作曲家が選んだ道は二つの方法に整理されます。

フランスの作曲家は、旋法による音楽に活路を見出しました。調性音楽以前の教会旋法やアジア音楽の旋法などを用いて作曲するようになります。

もう一つの方法はワーグナーの手法をさらに進めていくやり方で、それを追究した代表がシェーンベルクです。ワーグナーの手法を進め、もはや調性は耳に捉えられない、「無調」と呼ばれるスタイルを経て、シェーンベルクは「お互いの間でのみ関係づけられた12の音による作曲」の方法にたどり着きます。このいわゆる「12音技法」は、中心的な音の出現を避けて、1オクターブの中に含まれる12の音を平等に用いようとするもので、1オクターブに含まれる重複しない12の音列を基本形とし、その逆行形、反行形、反行の逆行形の4種類の音列を用いて作曲していく方法です。この12の音列によって音楽は構造的に支えられることになります。

《ワルシャワの生き残り》は、クーセヴィツキー音楽財団の依頼により、語り手と男声合唱とオーケストラのために、1947年に作曲されました。第2次世界大戦中、ユダヤ人であるシェーンベルクはナチスの迫害から逃れてアメリカにわたっていましたが、ナチスの残虐な行為に衝撃を受けました。犠牲となった人々への思いが作曲の内的な要因です。表現の内容と手法は呼応し、パリ初演を指揮したユダヤ系の作曲家、R.レイボヴィッツは、「こうした問題について、いろいろな人が何巻もの本、幾篇もの長い論文、たくさんの記事を書いてきました。しかし、シェーンベルクは、8分間で、そうした誰よりもはるかに多くを表現しました」というヨーロッパ初演の際の聴取者の言葉を伝えています。譜例155は《ワルシャワの生き残り》で用いられている音列です。

譜例155 《ワルシャワの生き残り》で用いられている音列

21. 武満 徹《ノヴェンバー・ステップス》――和楽器とオーケストラの対峙【中学校】

楽団創立125周年を迎えるニューヨーク・フィルから依頼を受け、《ノヴェンバー・ステップス》は1967年に作曲されました。尺八と琵琶とオーケストラのための作品で、武満は「琵琶と尺八が指し示す異質の音の領土を、オーケストラに対置することで際立たせるべきなのである」と述べています。明治以後、日本の音楽は西洋音楽の影響を大きく受け、元来は独奏楽器である日本の楽器をオーケストラのような形で用いたり、低音を演奏するために、80絃箏のような大型な楽器を開発したりすることも試みられました。箏や三味線を独奏楽器とした協奏曲も作曲され、西洋音楽のレパートリーを日本の楽器で演奏されることも広く行われています。そのようなものとは異なり、武満は、日本伝統音楽の本質に根差したものとして作曲しました。「尺八の名人が、その演奏のうえで臨む至上の音は、風が古びた竹藪を吹きぬけていくときに鳴らす音であるということを、あなたは知っていますか？」と述べる武満は、「風が古びた竹藪を吹きぬけていくときに鳴らす音」を、オーケストラにも求めているように思えます。弦楽器一つのパートとして同一のメロディをユニゾンで演奏することはなく、個々の楽器が異なった音を演奏していきます。その様は、無数の竹の葉が、風に揺らされて音を立てているかのようです。

オーケストラのパートは五線譜上に細かく記され、尺八と琵琶の楽譜は、五線譜に書かれている場合でも、リズムは細かく指定されていますが、曲の最後近くでは、奏法譜を基に、尺八と琵琶が自由に掛け合うようにつくられています。「どのように演奏していいのかわからないので、『具体的な音のイメージはあるのか』と武満さんに聞いた。『ある』というので、『あるのなら、その音を書いてくれ』と詰め寄った」というような話を初演の尺八奏者横山勝也氏からうかがったことがあります。

作曲者の言葉を借りれば、《ノヴェンバー・ステップス》は「特別の旋律的主題をもたない11のステップ。能楽のように絶えず揺れ動く拍」の音楽です。タイトルのノヴェンバー・ステップスはこの11のステップ、そして初演される11月にちなんでつけられました。

22. 八橋検校《六段の調》――箏の音色、序破急【中学校】

《六段の調》は江戸時代初期の《すががき》を原曲とし、八橋検校によって作曲された箏の曲です。《六段の調》は「平調子」と呼ばれる調弦法が用いられ、譜例156のように、都節のテトラコルドを積み重ねたような形に音の高さが割り当てられています。曲の中で、これ以外の音を必要とする場合は、柱(じ)の左側（爪ではじかない部分）を左手で強く押し、張力を強めて弾きます。調弦された音よりも、半音から一音半くらいまで高い音を得ることができるこの方法は「オシデ（押手）」と呼ばれ、私たちに、箏らしい音色を味わせてくれます。

譜例156　箏の調弦（平調子）

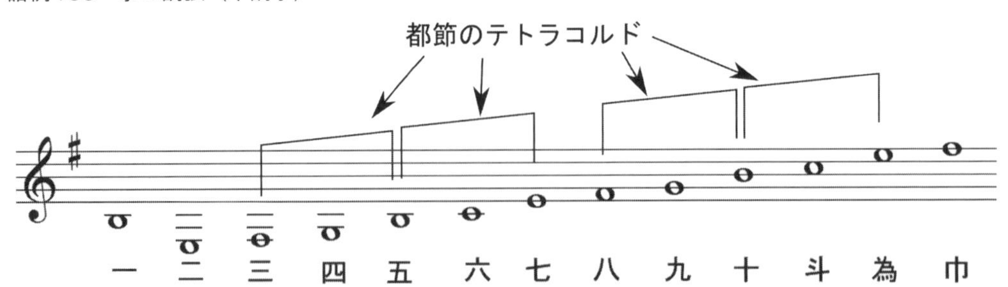

曲名が示すように、《六段》は連続して演奏される、初段から六段までの六つの部分から成っています（譜例157～162）。楽譜には、「三段の途中から漸次速くなる」「四段は三段より少し速く」、六段の終わり近くには「漸次徐」という指示が書かれています。このような、始まりがあって、展開・発展し、終結するという流れは、「序破急」という日本独特の構成法で捉えられています。

箏には独特の演奏法があります。例えば、初段では、弾いた後でその弦の柱の左側でつまむようにしてゆるめ、低い余韻をつくる「ヒキイロ（引色）」（譜例157の「ヒ」）、普通に弦を弾いたすぐ後に、柱の外側の弦を押して高めた余韻をつくる「アトオシ（後押）」（譜例157、スラーによって記譜）などの演奏を味わいましょう。

日本の音楽では、音高と演奏法が結びついた、いわば音楽的な断片の組み合わせによってつくられていく傾向が強くあります。譜例157～162には五線譜の下に音楽を捉えるために言葉を用いる唱歌（しょうが）を書き入れています。隣り合った弦をほぼ同時に鳴らす、「シャ」「シャン」や隣り合った三つの弦を高音から低音へと順次弾く、「コーロリ」「コロリ」「コーロリン」（下線により明示）などの断片の組み合わせにより、音楽が組み立てられていることがわかります。

譜例157　初段冒頭

譜例158　二段冒頭

譜例159　三段冒頭

譜例160　四段冒頭

譜例161　五段冒頭

譜例162　六段冒頭

第Ⅳ部

音楽づくりのための教材集

第1章● 創作の手がかり

本書では、楽譜から音楽がどのようにつくられているかを読み解き、それをもとに表現の方法を述べ、音楽の要素や構造を捉えることから鑑賞のヒントを示してきました。創作は音楽の知識や具体的な要素を習得し、自分の中で再構成して新たなものをつくり出す営みとも言えるでしょう。最後に創作を通して、今までに述べてきた音楽の仕組みを理解していきましょう。

現在の小学校教育において、創作分野は「音楽づくり」と呼ばれています。音楽づくりとは1980年代に日本に移入された創造的音楽学習の流れをくむものです。さまざまな音素材や、民族音楽、現代音楽を含む幅広い音楽語法が用いられ、楽譜の知識や特別な演奏技術を持たない子どもたちが無理なく音楽をつくることを目指しています。すなわち、楽音中心の作曲から音素材を広げるとともに、記譜の指導を第一におかず、即興性を重視したものです。

しかし、「音に気づく」「音をつくる」ことはできても、「音を音楽にする」ことは難しく感じられる人もおられるでしょう。そこには、音を組み合わせ、構成していくという作業が必要になります。私たちは、音符を組み合わせるとリズムができたり、リズムと音高という音楽の要素を組み合わせるとメロディができたりするように捉えがちです。しかし、現実には音楽的なイディオム（慣用句）を身につけていくところから音楽の習得が始まっていくのです。「音楽づくり」の指導で最も大切なことは、「こういう音楽をつくりたい」という思いを育てていくことにあるのでしょう。このような思いが育ち、「生きた音楽」をつくるためには、「選ぶ」という過程が必要なのではないでしょうか。本書では音楽の断片を用意し、即興的に選んで音楽をつくるという形を考えました。何度も試すうちに、音楽の組み立て方に気づき、さらには、それぞれの「音楽の断片づくり」に発展していくことを願っています。

第2、3章では、実際に教室で使っていただけるように、一人でも、グループやクラスでも演奏できる簡単な教材を挙げています。ブロックを繋ぎ合わせて物の形をつくるように、音楽の断片を繋ぎ合わせて一つの曲にしていきましょう。即興や創作を行うための一つのステップです。二つの断片から一つを選んで、自然に音楽のまとまりが感じられるように作成していますので、小学生でも簡単に曲をつくることができます。

第4〜7章は主として指導者のためのものです。理論として本に書かれている事柄を、音楽を通して体験していただけるように、用意しました。グループやクラスで用いる場合のアイデアや留意点は、それぞれの章の冒頭に記しています。

第2章●リズム・アンサンブルのための練習曲

小学校でよく使われる打楽器を用いた教材です。グループに分かれて、好きな打楽器を選んでみてください。最初は手拍子を使うこともできます。強弱記号に留意し、音楽的な表現を目指しましょう。これらはアンサンブルの教材としても使うことができます。

1. 予備練習

二つのパートに分かれて、アンサンブルを体験しましょう。楽器を選んでください。楽譜の上のパートをパート1、下のパートをパート2とし、どちらかのパートが拍を打つようにつくられていますので、全体としては途切れずに拍は刻まれることになります。拍の流れを感じて、互いの音をよく聴き合い、自分が演奏していないときも、音楽の流れを感じてください。

練習No.1

No.1では、まず拍を感じるところから始めます。音楽が続いていくことを感じて、パートが分かれても、まるで最後まで一人で打っているように、他のパートを聴いて、休符の後にタイミングよく入りましょう。

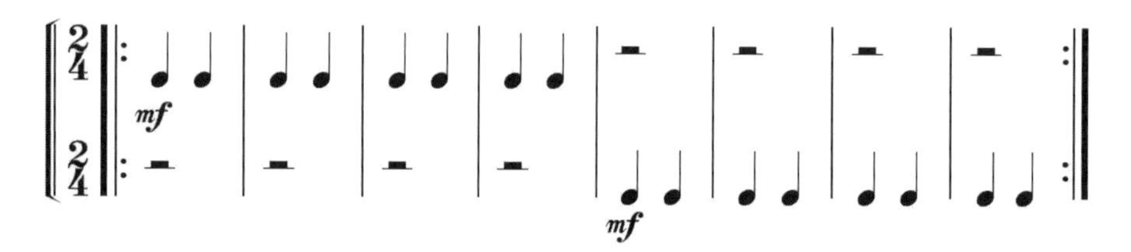

練習No.2

No.2では、1拍目に他のパートが重なり、強拍が感じられるようになっています。

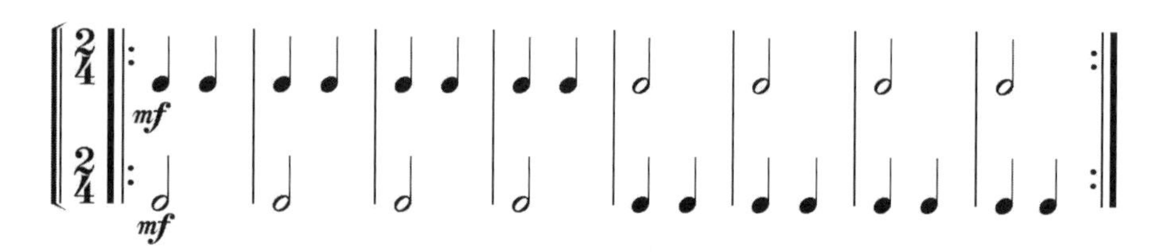

練習No.3

No.3では、2分音符と2分休符のパートから2小節を1拍とする2拍子と感じられます。以下の練習曲も、大きなまとまりとして、音楽を感じましょう。

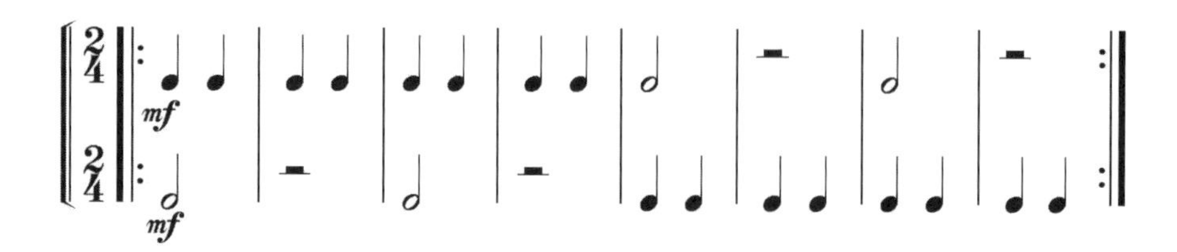

練習No.4

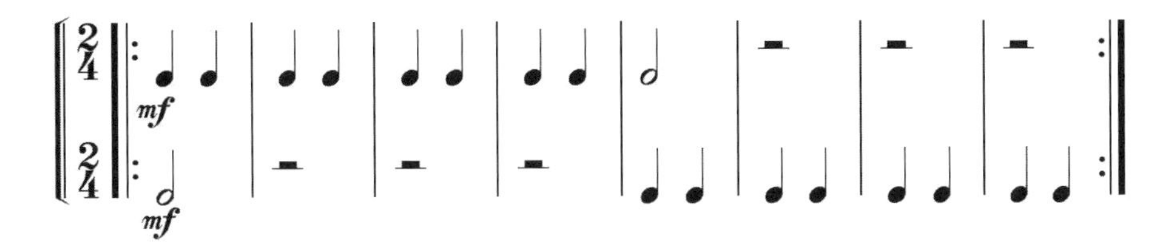

練習No.5

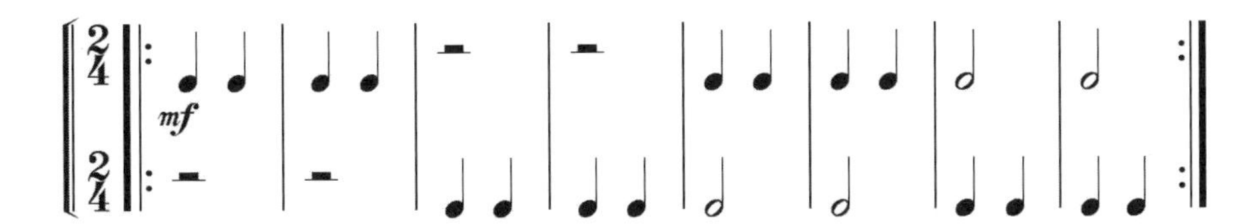

練習No.6

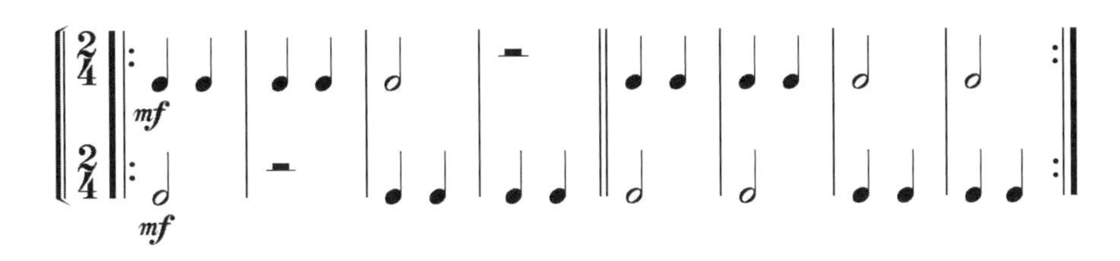

2. リズム・アンサンブルのための即興練習曲

二つのパートに分かれて、最初は手拍子で演奏した後に、楽器を選んでください。上のパートをパート1、下のパートをパート2と呼び、楽譜の上の数字は小節数を示しています。それぞれのパートの楽譜の断片から好きなものを選んで、矢印の方向に繋げて演奏してください。いろいろと試してみて、音楽的な表現にしましょう。楽譜を選ぶことができるパートでは、あらかじめどちらの楽譜を演奏するのか、決めておいた方がよいでしょう。

2拍子のリズム　No. 1

今まで述べてきたことの応用でつくられています。2拍子と書かれていても、常に強・弱のくり返しとは限りません。たとえば、パート１の13-16aの部分では、１小節を大きな1拍とする2拍子であり、17-20aの部分では1小節を大きな1拍とする4拍子に捉えられます。以下同様に、強弱によく注意して、書かれている記号をヒントに表現を考えましょう。

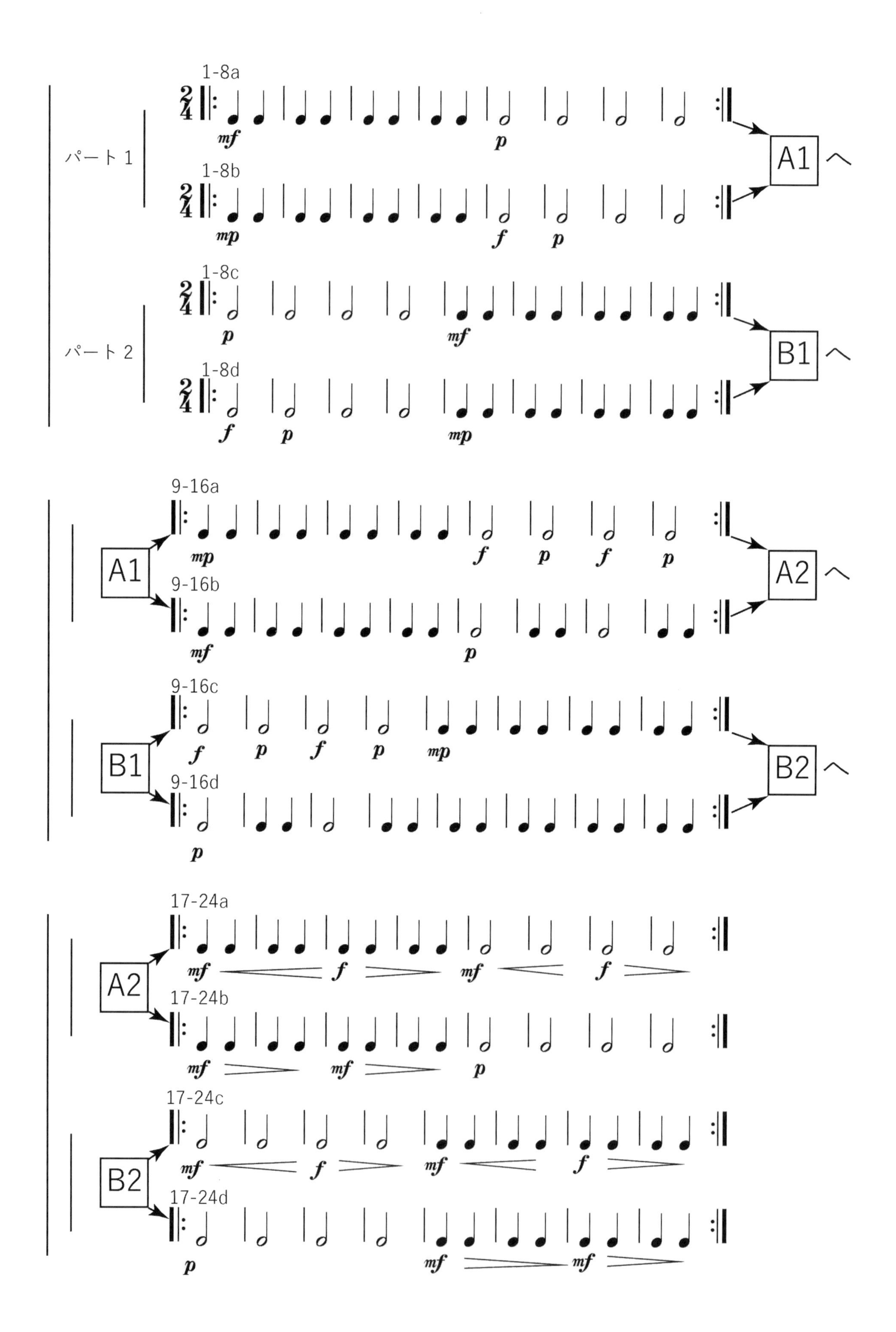
1-8a
mf
p
1-8b
mp
f
p
A1へ
パート1
1-8c
p
mf
1-8d
f
p
mp
B1へ
パート2
9-16a
A1
mp
f
p
f
p
9-16b
mf
p
A2へ
9-16c
B1
f
p
f
p
mp
9-16d
p
B2へ
17-24a
A2
mf
f
mf
f
17-24b
mf
mf
p
17-24c
B2
mf
f
mf
f
17-24d
p
mf
mf

２拍子のリズム　No.2

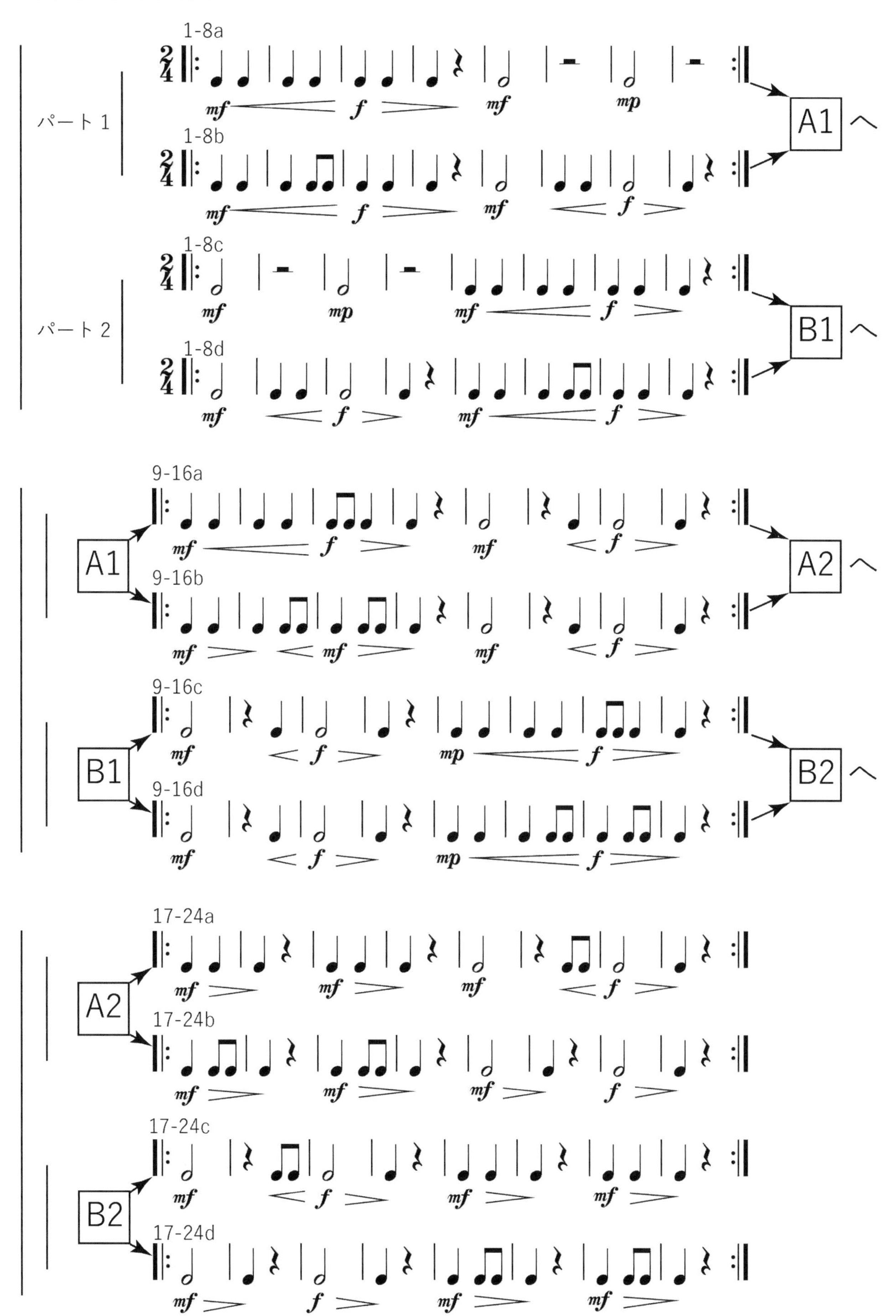

1-8a
1-8b
パート１
A1へ
1-8c
1-8d
パート２
B1へ
9-16a
9-16b
A1
A2へ
9-16c
9-16d
B1
B2へ
17-24a
17-24b
A2
17-24c
17-24d
B2

２拍子のリズム　No.3

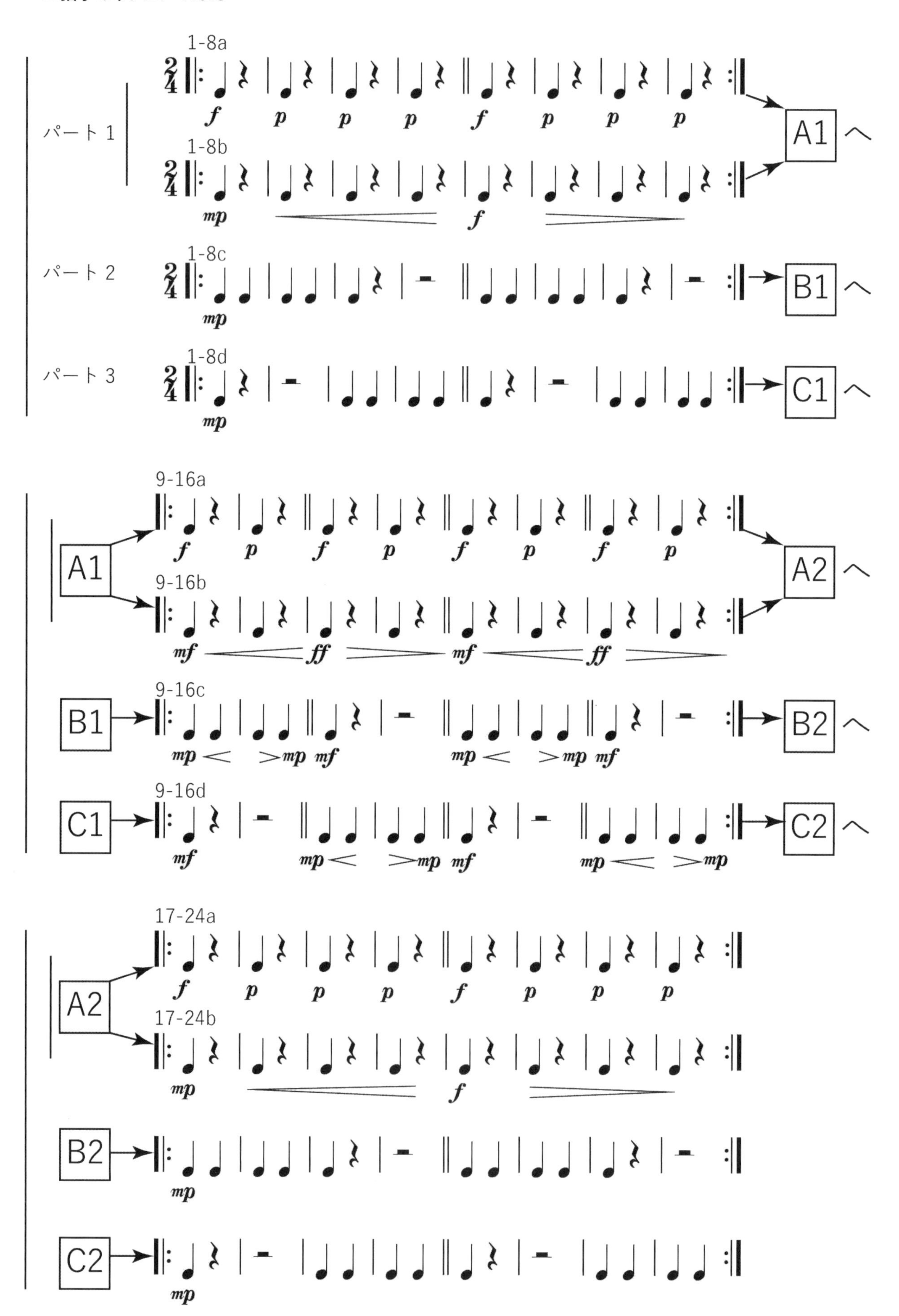
パート１
パート２
パート３
1-8a
1-8b
1-8c
1-8d
A1
B1
C1
9-16a
9-16b
9-16c
9-16d
A2
B2
C2
17-24a
17-24b

3拍子のリズム　No. 1

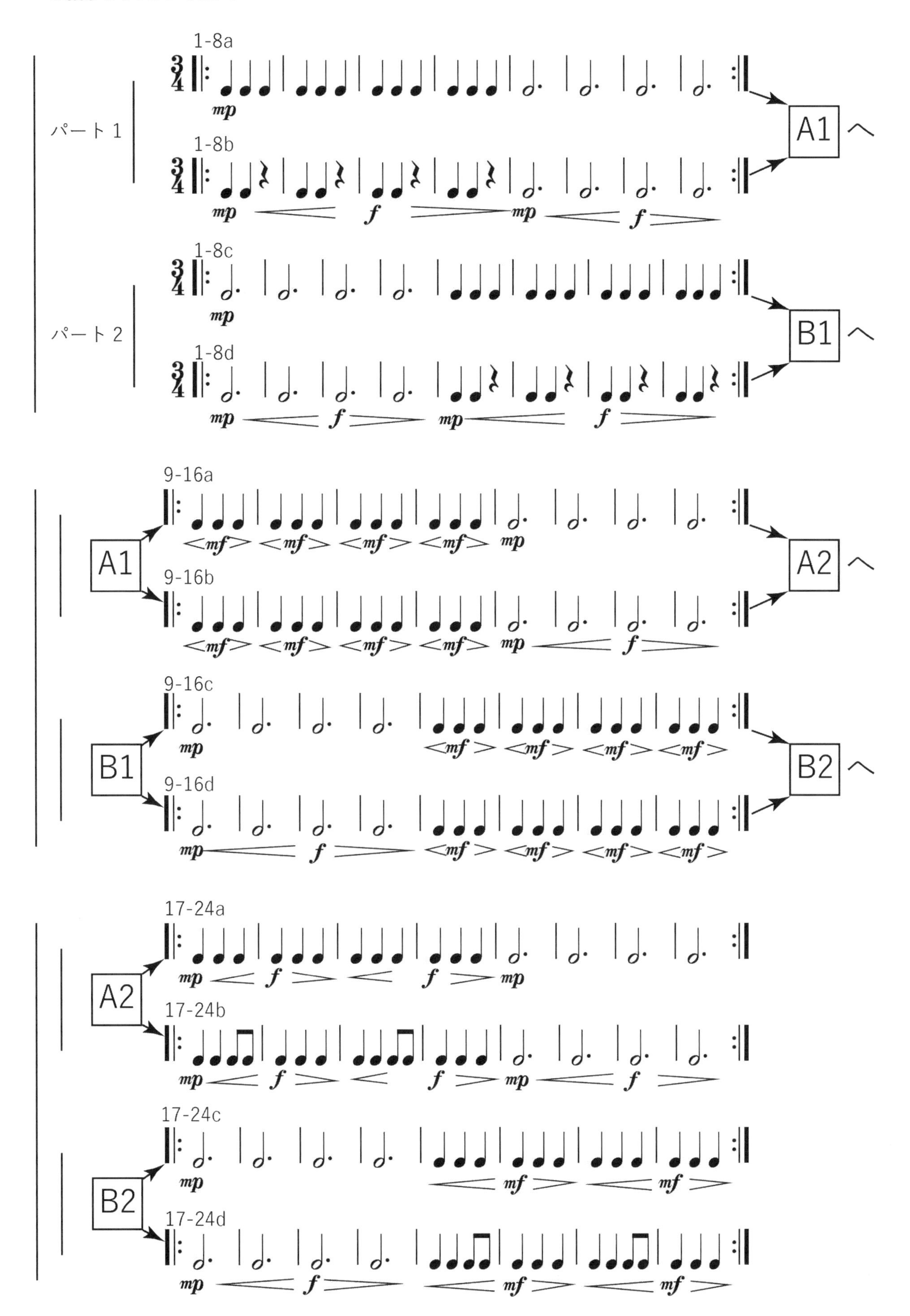

1-8a
1-8b
パート 1
A1 へ
1-8c
1-8d
パート 2
B1 へ
9-16a
9-16b
A1
A2 へ
9-16c
9-16d
B1
B2 へ
17-24a
17-24b
A2
17-24c
17-24d
B2

3拍子のリズム　No.2

1-8a
パート 1
1-8b
パート 2
1-8c
パート 3
1-8d
A1
B1
C1
9-16a
9-16b
9-16c
9-16d
A2
B2
C2
17-24a
17-24b
17-24c
17-24d

４拍子のリズム

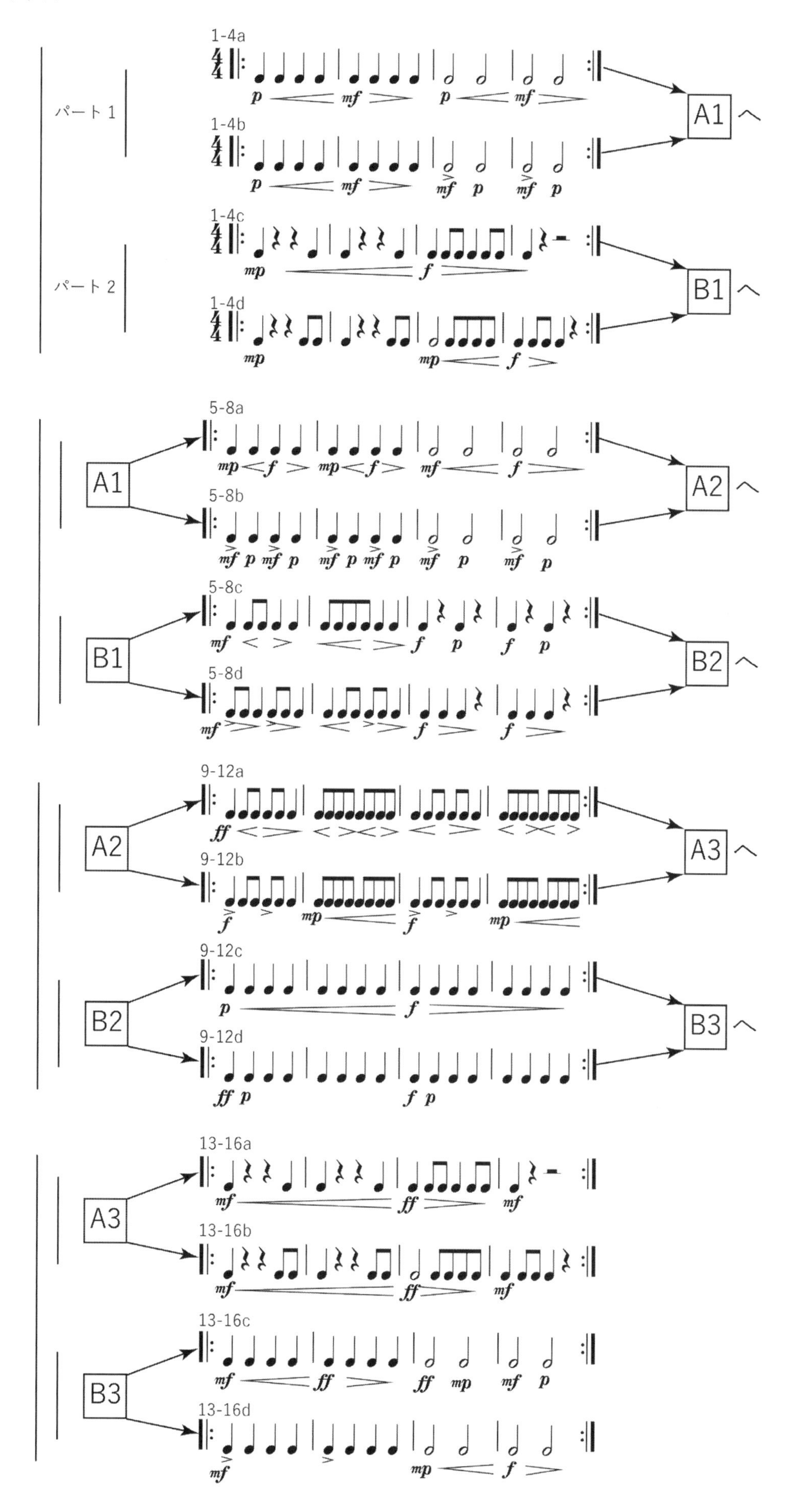

パート１
パート２
1-4a
1-4b
1-4c
1-4d
A1 へ
B1 へ
5-8a
5-8b
5-8c
5-8d
A1
B1
A2 へ
B2 へ
9-12a
9-12b
9-12c
9-12d
A2
B2
A3 へ
B3 へ
13-16a
13-16b
13-16c
13-16d
A3
B3

6拍子のリズム

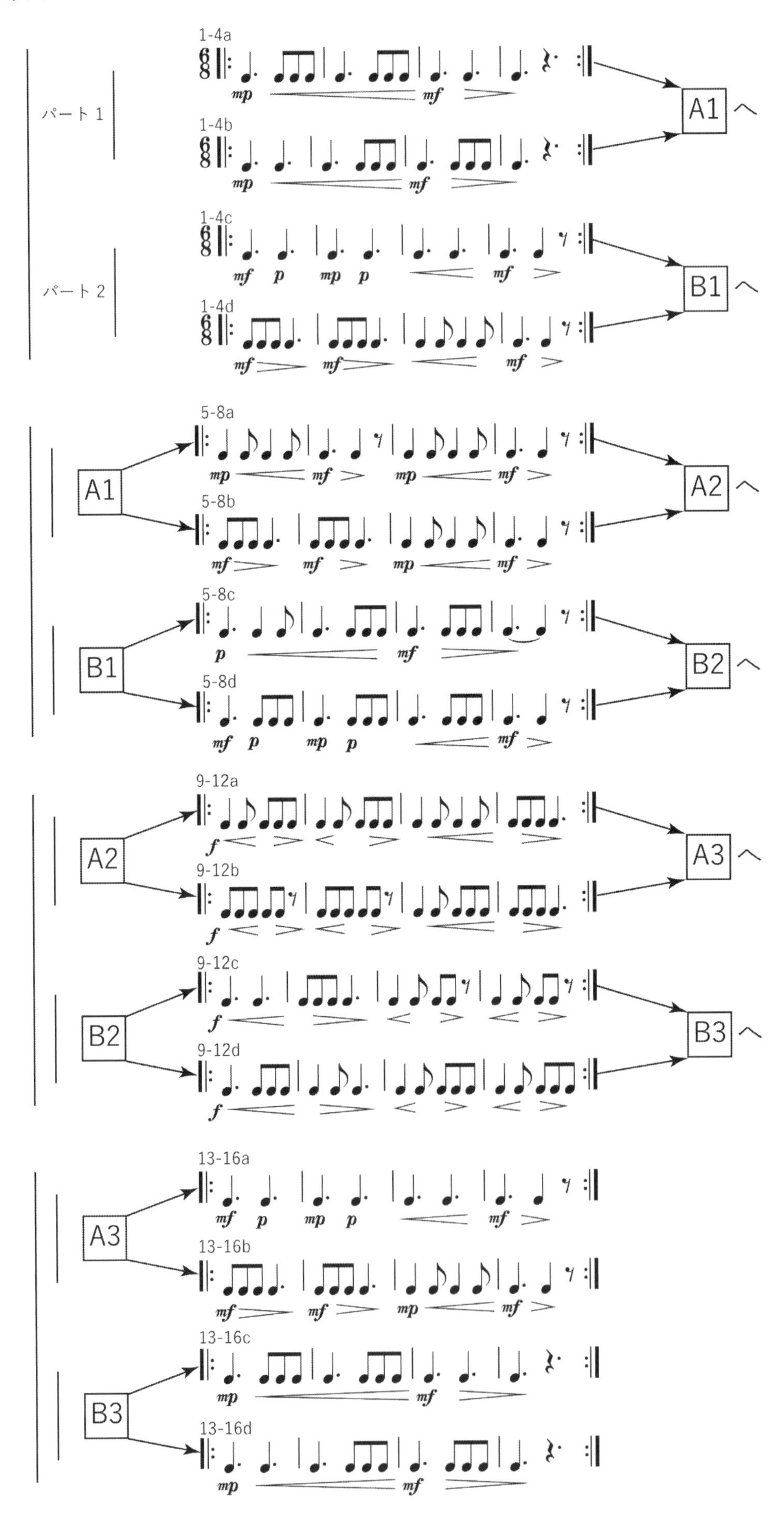

1-4a
1-4b
パート1
1-4c
1-4d
パート2
A1へ
B1へ
5-8a
5-8b
5-8c
5-8d
A1
B1
A2へ
B2へ
9-12a
9-12b
9-12c
9-12d
A2
B2
A3へ
B3へ
13-16a
13-16b
13-16c
13-16d
A3
B3

第3章●リコーダーによるグループ即興練習曲

クラスを二つに分けて、リコーダー、あるいは鍵盤楽器を用いたアンサンブルの教材として使うための練習曲です。アンサンブルの練習では、パート1のグループはどちらの楽譜を演奏するのかを決めておき、強弱記号に注意して演奏しましょう。

練習　No.1

練習　No.2

1-4a
パート 1
1-4b
A1 へ
1-4c
パート 2
B1 へ
5-8a
5-8b
A1
A2 へ
5-8c
B1
B2 へ
9-12a
9-12b
A2
A3 へ
9-12c
B2
B3 へ
13-16a
13-16b
A3
13-16c
B3

第4章●日本の音階による即興練習曲

日本の律音階、都節音階、民謡音階、琉球音階を用いたメロディの即興では、西洋音楽の長調や短調とは異なる音の動きや、核音を用いた終止を感じ取ってください。

1. 律音階による即興練習曲

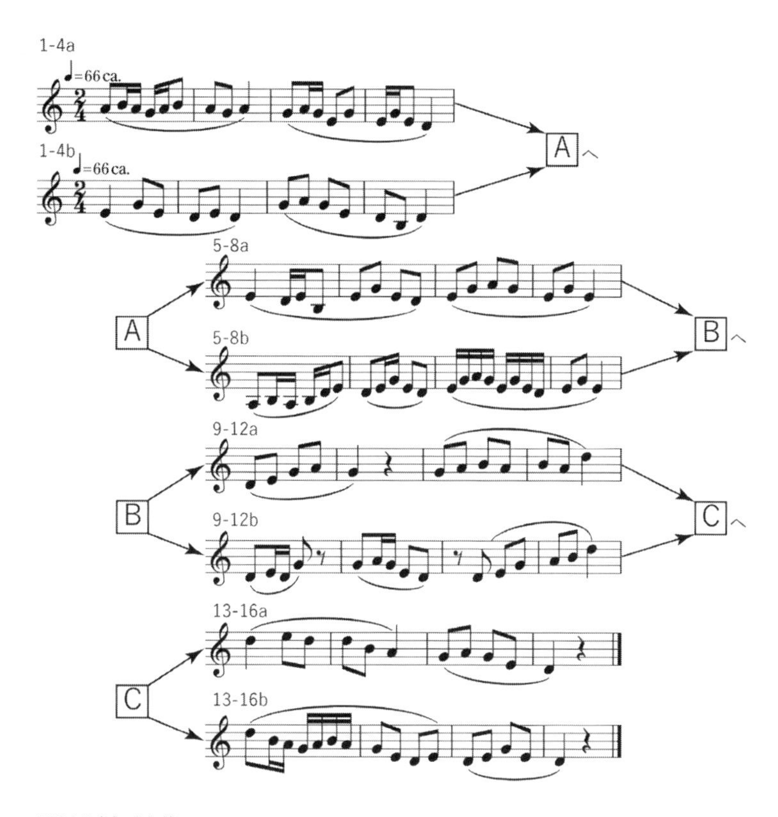

2. 都節音階による即興練習曲

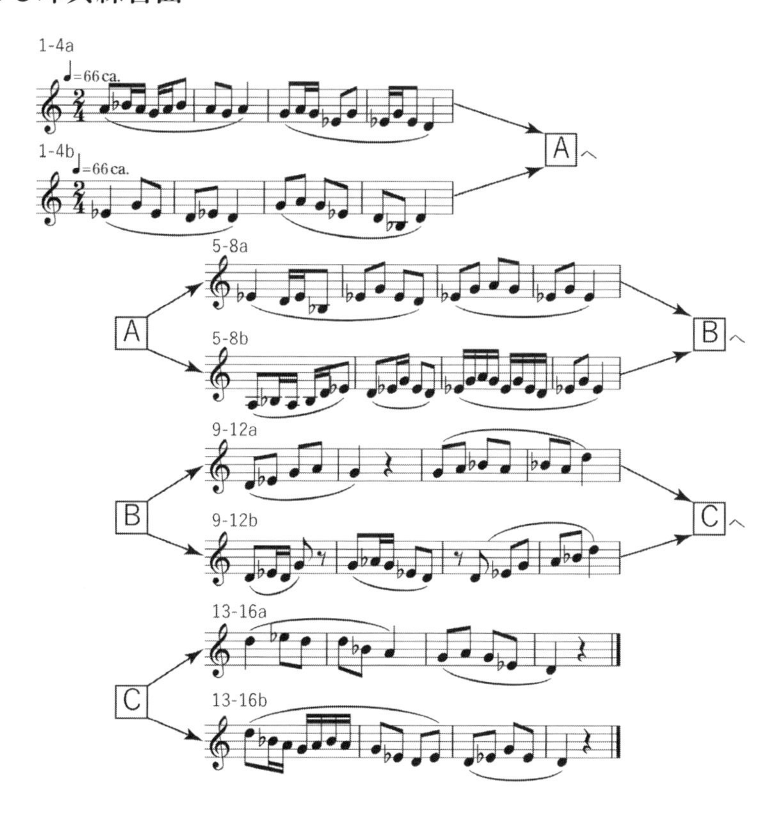

3. 民謡音階による即興練習曲

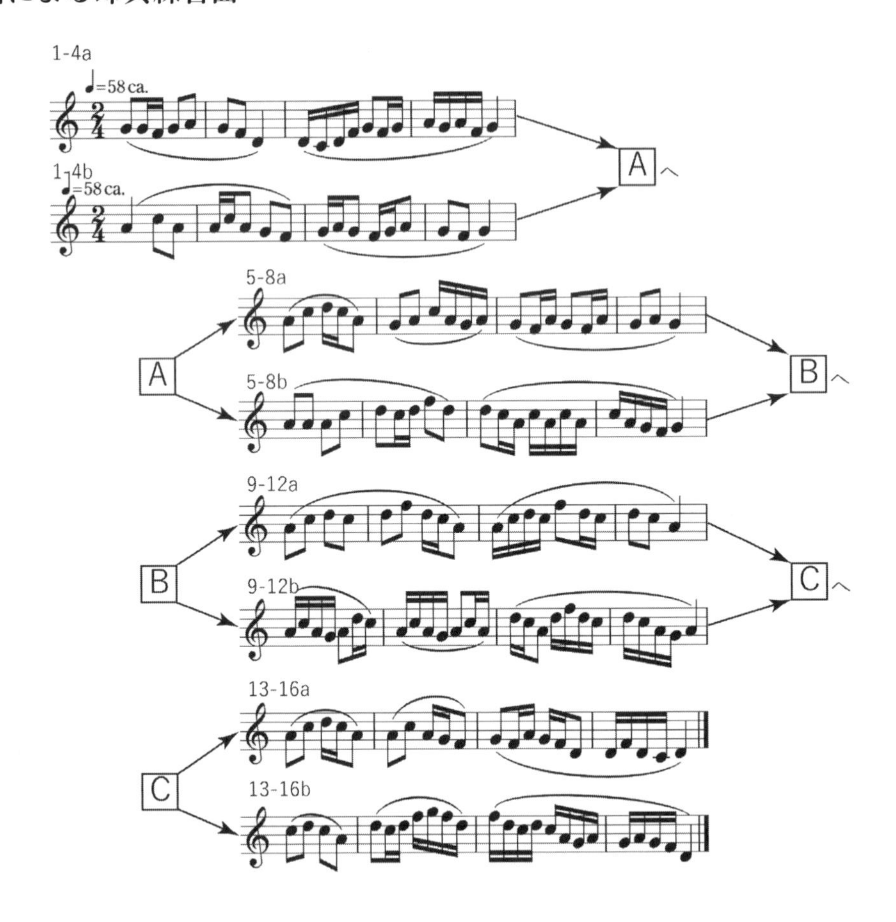

4. 琉球音階による即興練習曲

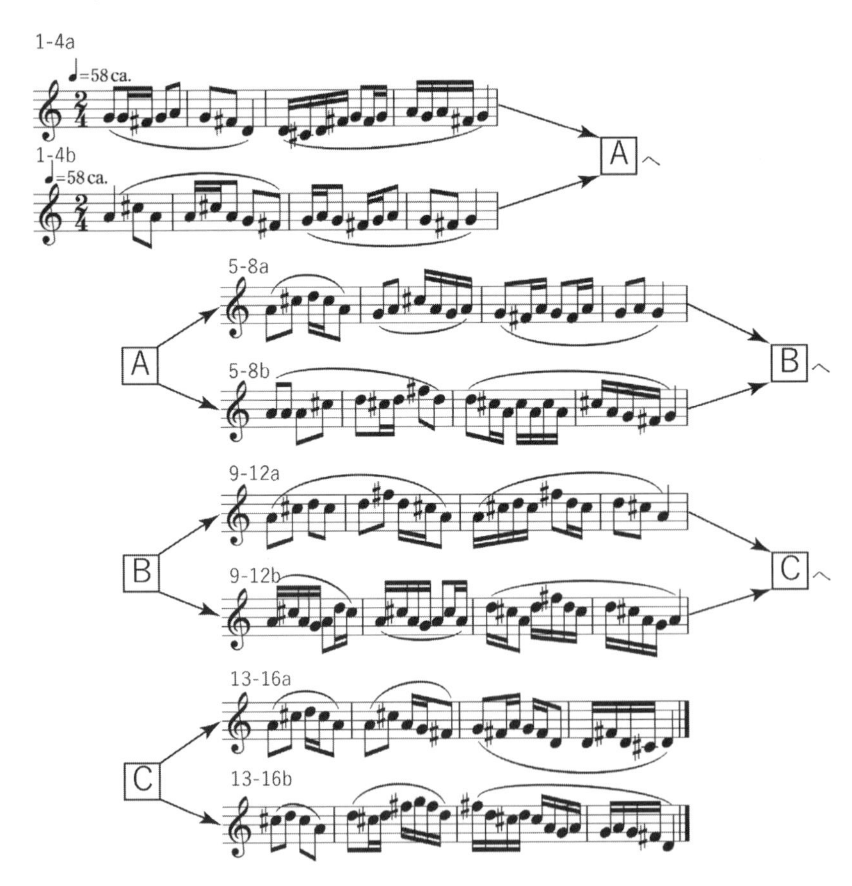

第5章●持続低音上のさまざまな旋法による即興練習曲…………

音楽の中で、低音（バス）は重要な働きをします。一つの低音が続いていく中で、自由にメロディがゆれ動く感じを体験しましょう。右手のメロディは旋法を用いています。楽譜の断片から好きなものを選んで、矢印の方向に繋げて演奏してみましょう。右手のパートのみを鍵盤ハーモニカやリコーダーで演奏しても構いません。その際、先生が左手のパートを弾いても、子どもたち同士で左手を弾き合っても良いでしょう。最初の2小節を演奏してみて、テンポを設定してください。

1.「レ」の旋法による即興練習曲

2.「ファ」の旋法による即興練習曲

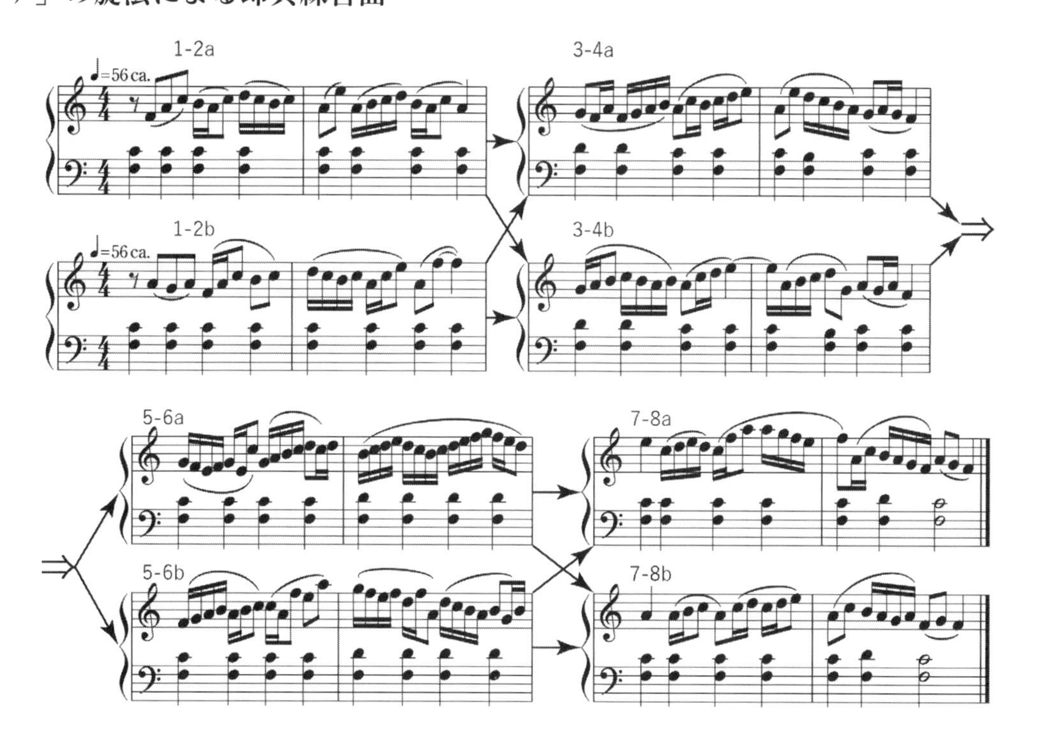

3.「ソ」の旋法による即興練習曲

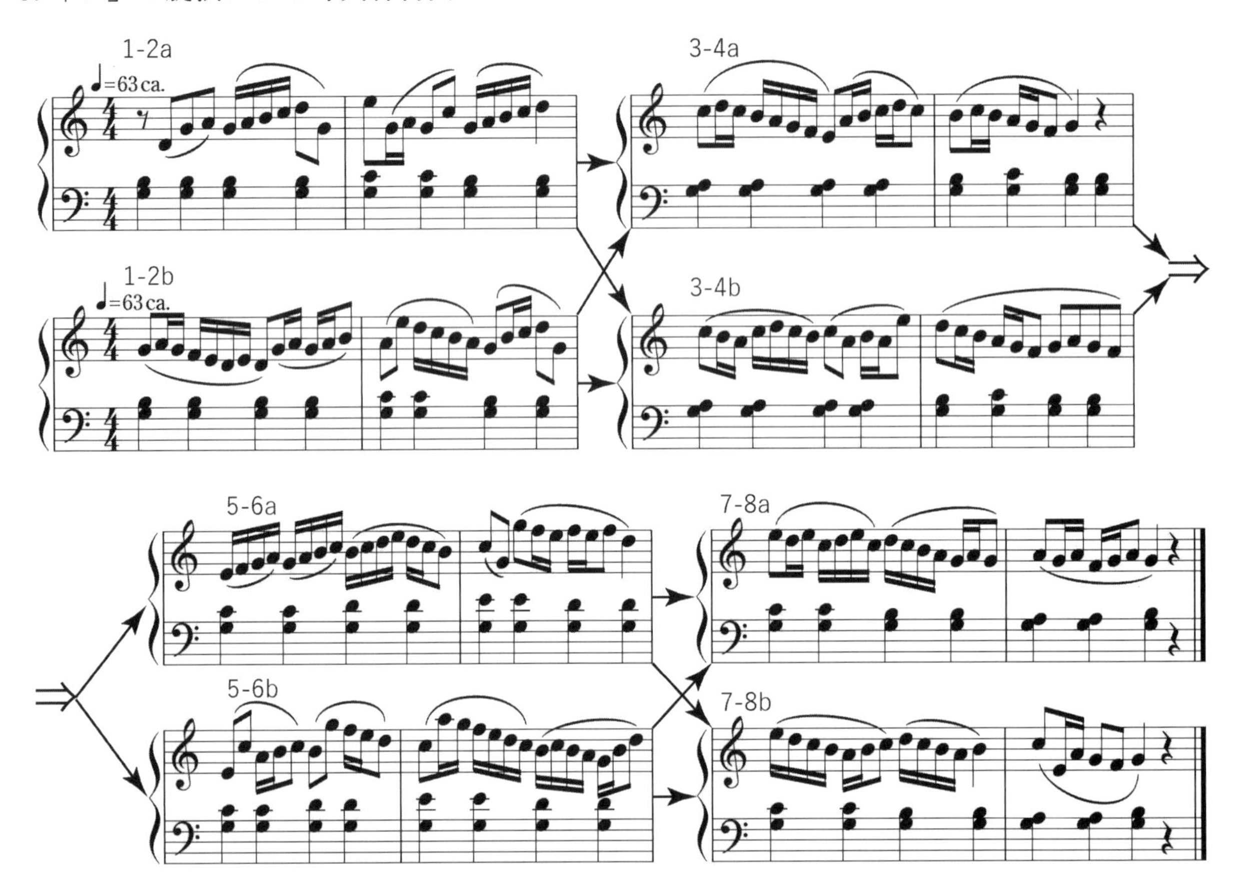

4.「ミ」の旋法による即興練習曲

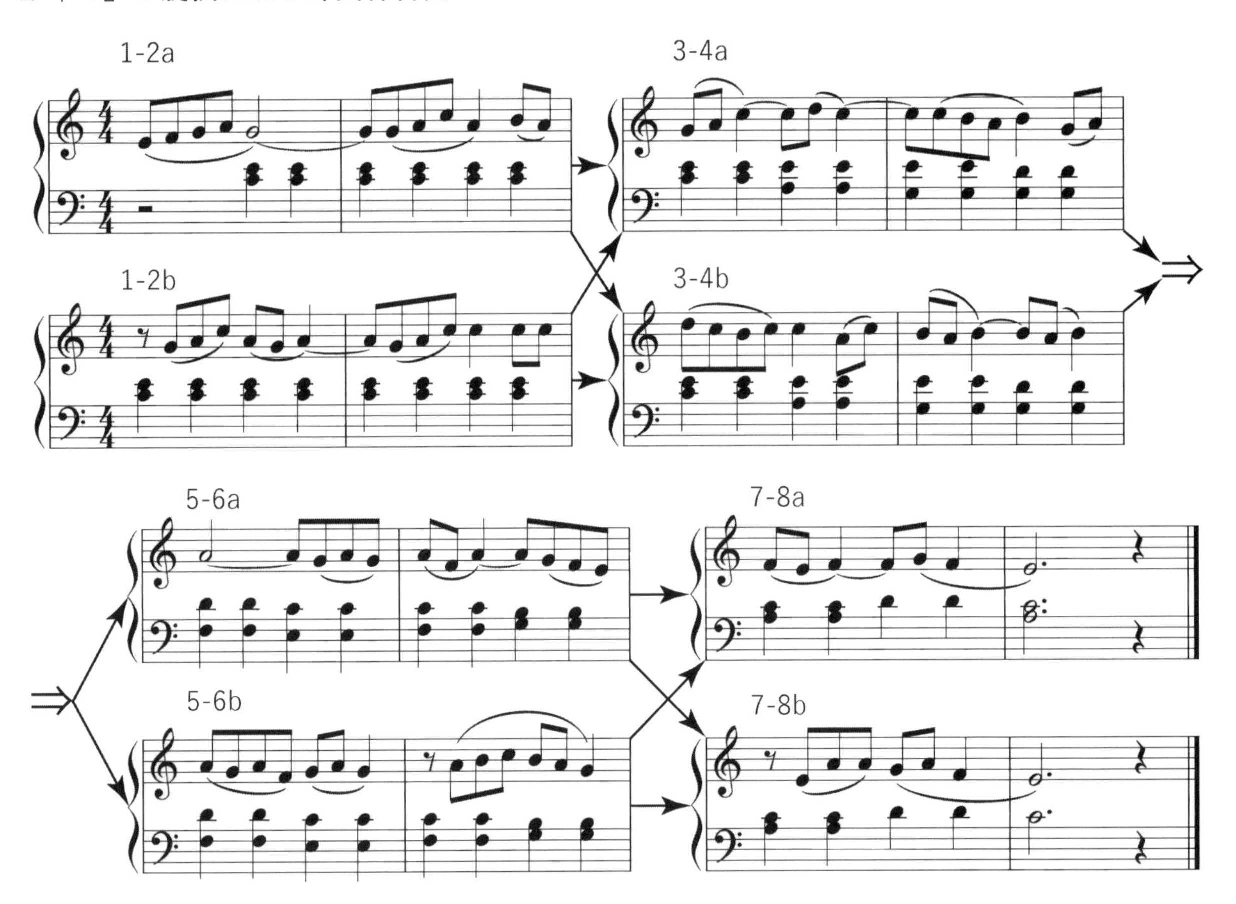

第6章●ブルースを模した即興練習曲

ブルースコードと呼ばれる12小節の和音進行の上での即興練習です。左手はニ長調とみることができますが、和音進行の上で流れる右手のメロディは民謡音階でできています。

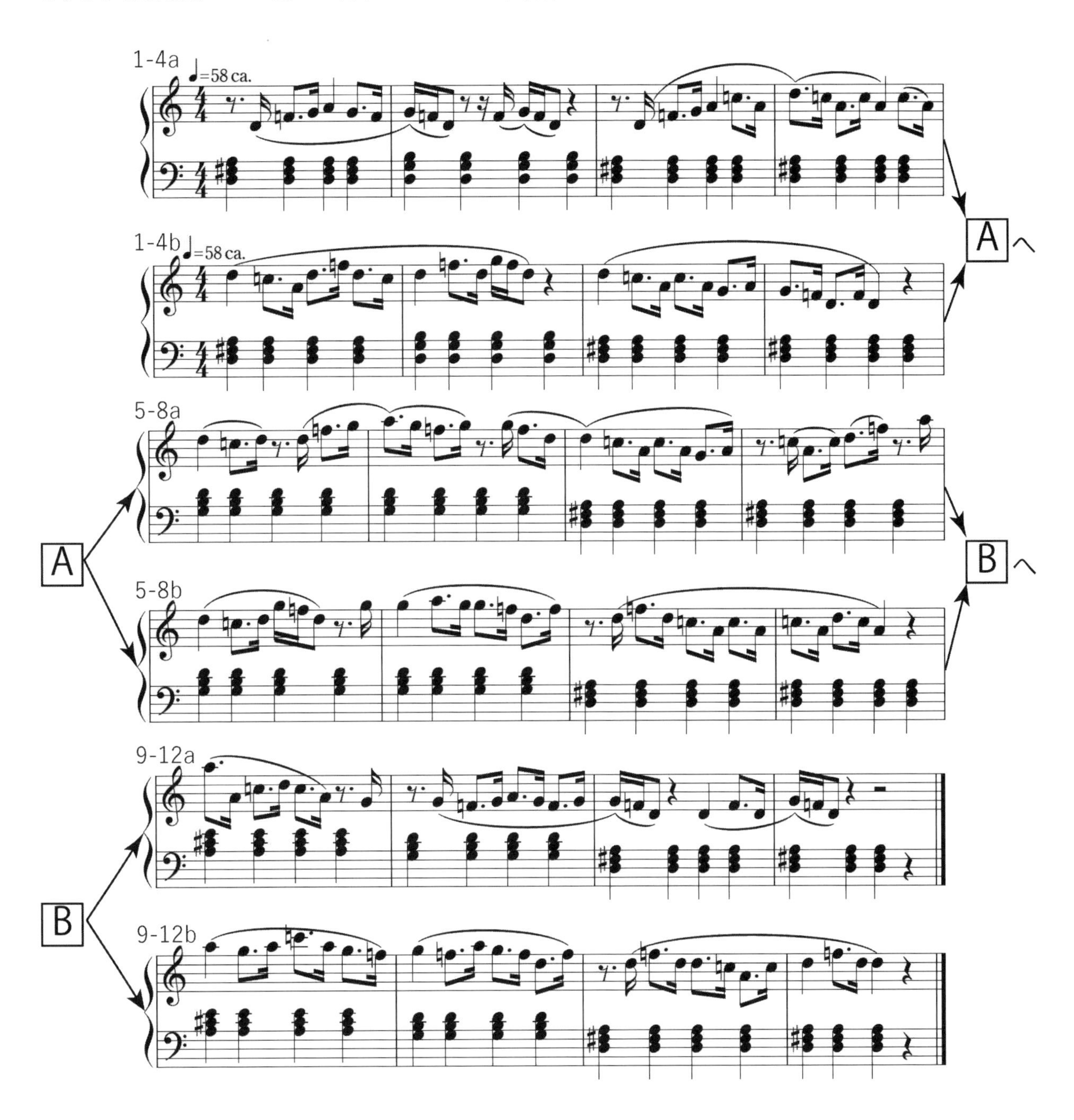

第7章●和音の進行をもとにメロディをつくる練習

現実の音楽にはほとんど見られないものですが、メロディの音として、ひとつの和音にひとつの音が割り当てられる場合、基礎となる和音進行の上に現れるメロディラインは限られたものになります。メロディを左手の和音とともにくり返し弾いてみましょう。和音が変化する際のメロディの動きを習得することができます。この基本的な動きを自分のものにすることが、メロディづくりの第一歩です。

1. ハ長調の和音の連結を考えてみましょう

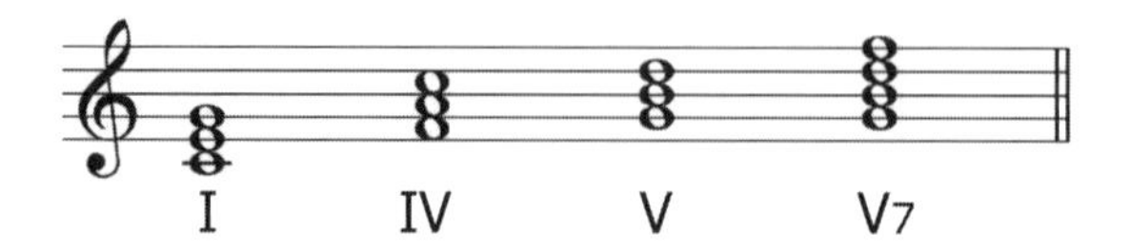

上記の譜例の「Ⅰ」「Ⅳ」「Ⅴ」の和音は、実際の音楽では下記の譜例のような形で配置されます。和音の中のそれぞれの音は矢印で示したように動きます。一番高い音の動きがメロディとなります。一番高い音が「ミ」であれば「ミ－ファ－レ－ミ」、「ド」であれば「ド－ド－シ－ド」、「ソ」であれば、「ソ－ラ－ソ－ソ」がメロディの動きになります。

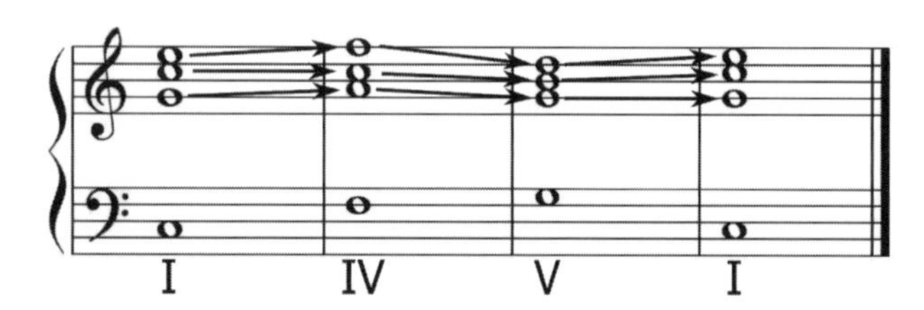

「Ⅴ」の代わりに「Ⅴ7」を用いる場合の動きは、下記の譜例のようになります。

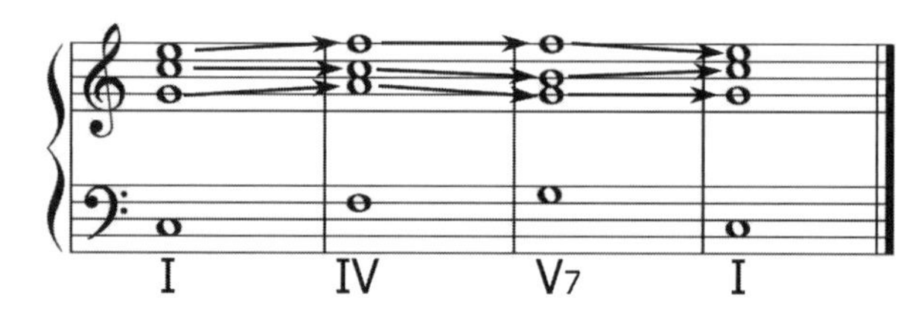

2. 和音進行に合わせてメロディをつくる練習
――右手メロディ、左手伴奏の形（Ⅰ-Ⅳ-Ⅴ-Ⅰ）

和音の音（和音の構成音・和声音）を使ってメロディをつくりましょう。上で述べたメロディの動きを左手の和音にのせて、鍵盤楽器で弾いてみましょう。練習1〜4の反復練習によって、基本位置の「Ⅰ－Ⅳ」、「Ⅳ－Ⅴ」、「Ⅴ－Ⅰ」「Ⅴ7-1」の和音進行（主要三和音の連結）における、和音が変化するときのメロディの、ほとんどすべての動きをマスターすることができます（「Ⅳ－Ⅰ」のメロディの動きは「Ⅰ－Ⅳ」の、「Ⅰ－Ⅴ」の動きは「Ⅴ－Ⅰ」の逆方向の動きとなります）。

練習1

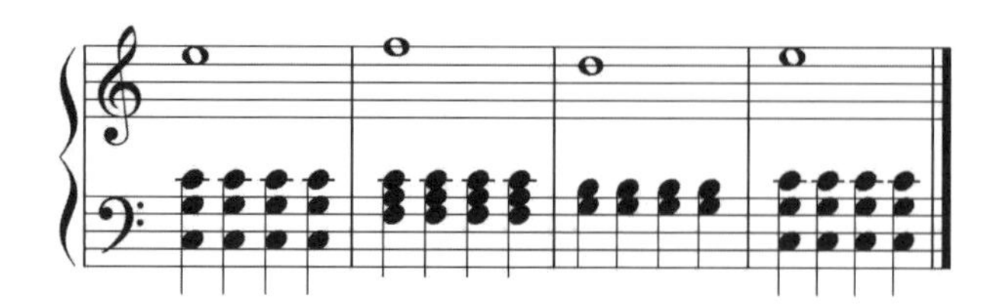

練習２

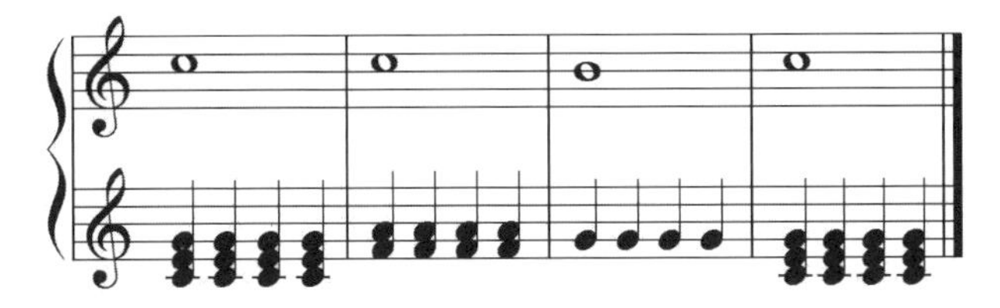

練習３

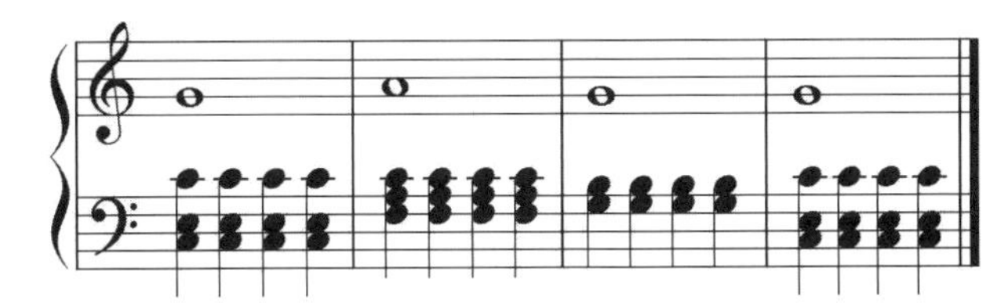

練習４

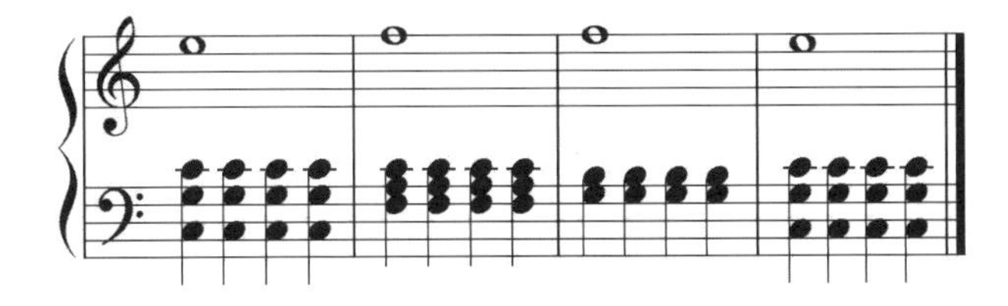

3. メロディの変化・発展

和音の音（和声音）であれば、一つの和音の中で、メロディは自由に動くことができます（練習5、6）。和音が変わるときのメロディの動きに注意しましょう。和音が変わるときのメロディの動きは練習1〜4の中からみつけることができます。

練習5では、第1小節から第2小節へ移るときのメロディの動きは練習2の「ド－ド」の動きです。第2小節から第3小節に移る動きは練習2の「ド－シ」、第3小節から第4小節に移る「シ－ド」の動きは練習2の「シ－ド」の動きです。

練習6では、第1小節から第2小節へ移るときのメロディの動きは練習3の「ソ－ラ」の動きです。第2小節から第3小節に移る動きは練習1の「ファ－レ」、第3小節から第4小節に移る「シ－ド」の動きは練習2の「シ－ド」の動きです。

練習５

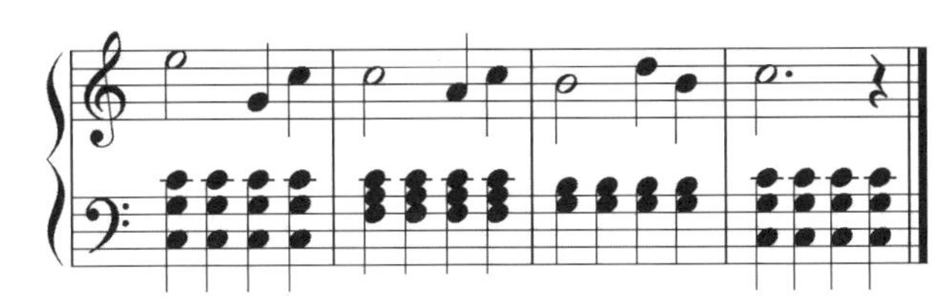

練習６

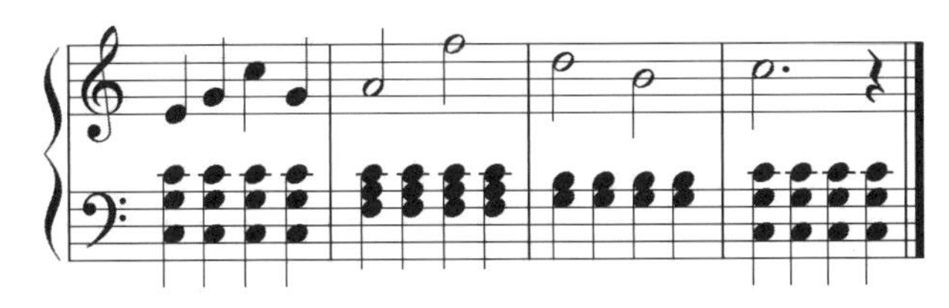

4. $\mathrm{I}-\mathrm{V}_7^1-\mathrm{I}-\mathrm{V}-\mathrm{I}-\mathrm{VI}-\mathrm{II}^1-\mathrm{V}_7-\mathrm{I}$の和音進行によるメロディづくりの練習

第1転回形の和音を用いることによって、和音が変わるときのメロディの動きも多様なものとすることができます。練習1～4には出てこないメロディの動きが欲しい場合は、先行、あるいは後続の和音のどちらかに第1転回を用いると、多くの場合、その動きを得ることができます。例えば「和声音によるメロディづくりNo.3」の第1小節から第2小節、「ド－レ」のメロディの動きは、基本位置の和音の連結では得られないものです。

わずかな例しか挙げることができませんが、第1転回形を含む和音進行を背景とした「和声音によるメロディづくり」を体験してください。

和声音によるメロディづくりNo.4

5. 非和声音を含むメロディづくりの練習

メロディは和声音だけでできているわけではありません。和声音だけでメロディをつくれば良い響きとなりますが、滑らかなメロディをつくるためには、和声音以外の音（非和声音）を使います。非和声音は和声音の隣の音として現れます。布の表と裏を針が行ったり来たりするような「刺しゅう音」など、非和声音の使い方を体験してみましょう。

経過音

「経過音」は異なった高さの和声音同士を繋ぐ非和声音です。

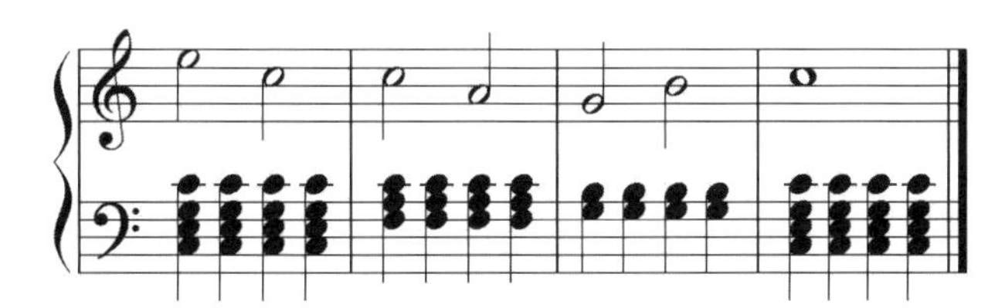

和声音によるメロディ（上の楽譜）の和声音を経過音で繋いだものが下の楽譜です。
(「○」を付した音が経過音)

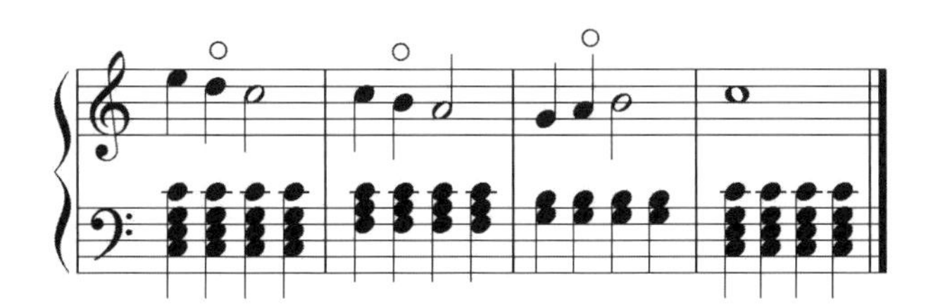

経過音を含むメロディづくり

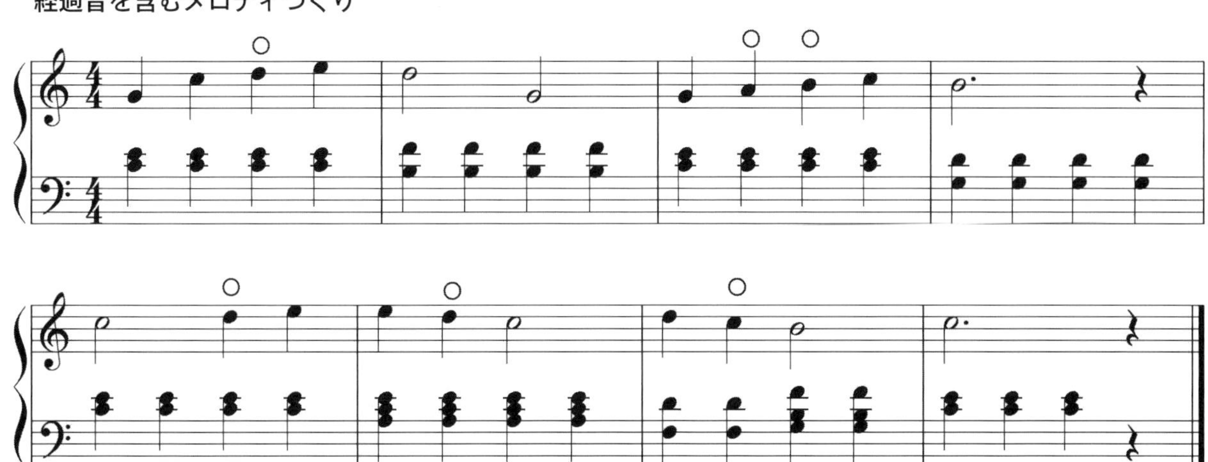

刺しゅう音

和声音が上・下隣りにある非和声音へゆれ動く場合があります。和声音を布に見立てるとメロディの動きが針の上下に見えるので、「刺しゅう音」と呼ばれます。

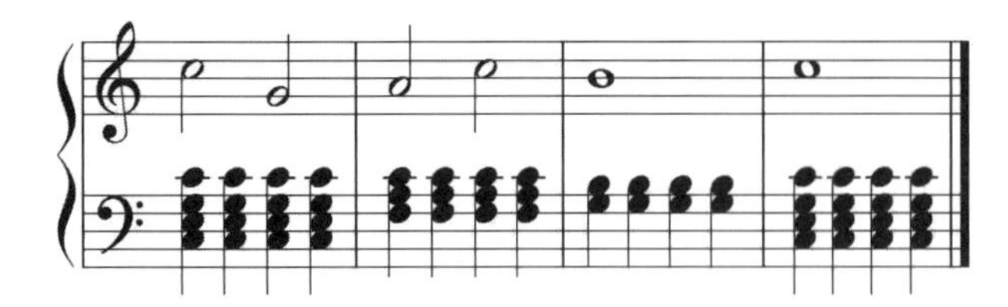

和声音によるメロディ（上の楽譜）に刺しゅう音を加えたものが下の楽譜です。
（「△」を付した音が刺しゅう音）。

刺しゅう音を含むメロディづくり

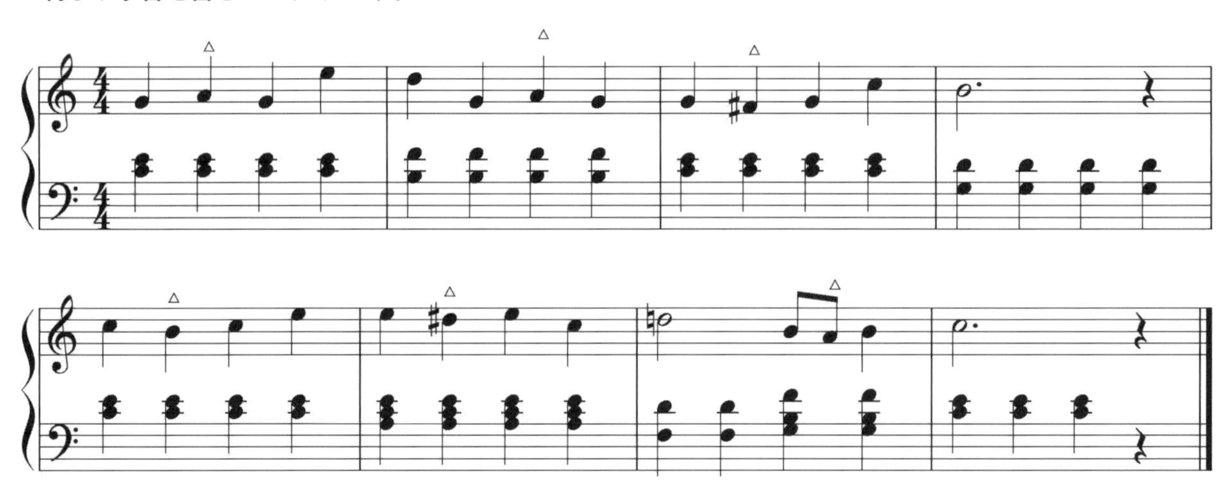

倚音

非和声音から始まり、隣の和声音へ進む場合があります。このような非和声音は「倚音」と呼ばれます。

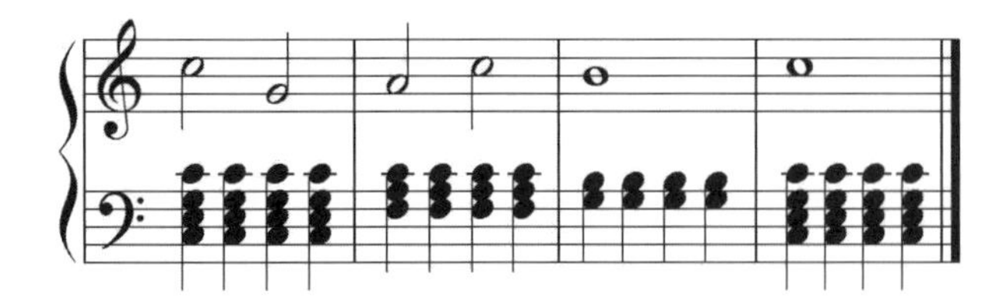

和声音によるメロディ（上の楽譜）を倚音から開始するように変更したものが下の楽譜です（「□」を付した音が倚音）。

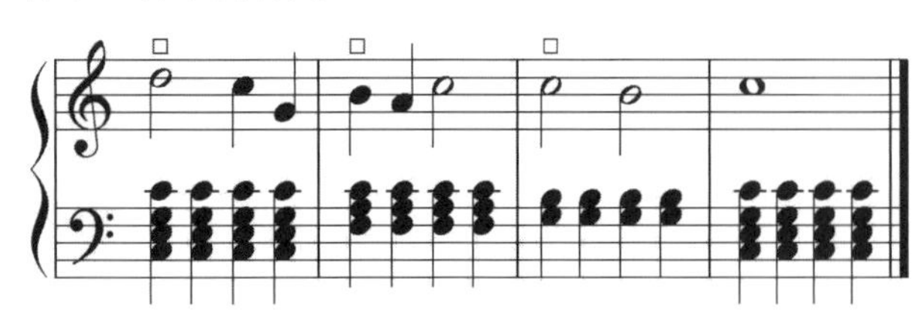

倚音を含むメロディづくり

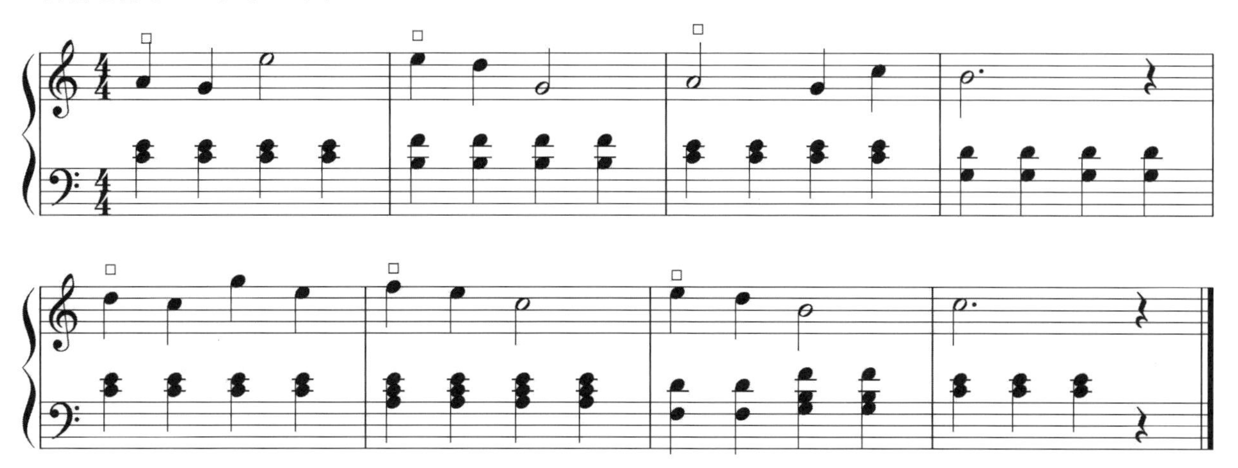

おわりに

本書は『究極の読譜術――こころに響く演奏のために――』（ハンナ、2016年）の姉妹編として企画したものです。一般の音楽愛好家の人たちに向けて、主としてピアノ曲を例に、楽譜をどのように表現するかを説いた前書に対し、本書では、小学校、中学校で教えていらっしゃる方や教員を目指す方に向けて、歌唱や合唱の教材を取り上げて教え方のヒントを記しました。それとともに、音楽表現の理論化を試み、一般的に知られている音楽の知識についても実際の教材に即した形で述べてきました。あくまで楽譜から読み解くという主旨から、取り上げた曲も限られたものではありますが、他の曲にも応用できる内容であり、小学校から中学校への連続を念頭において記述したのは、本書の特徴です。

また、楽譜という切り口をもとに、表現の裏返しとしての鑑賞指導について述べ、それを創作指導にまで繋げて、音楽を総合的に捉えることに留意しました。書き進めるうちに、筆者自身が表現活動を支えるための鑑賞活動の重要性に気づかされた次第です。最後の創作の部分では、メロディの進行やそれまでに述べてきたさまざまなスタイルを用いた即興的な練習曲を例示し、実際に教材として使えるようにしました。このような練習をくり返して、読者や子どもたちが創造性を高めることができ、自分なりの音楽をつくっていただけましたら、筆者としてこれほど嬉しいことはありません。

本書はJSPS科研費JP16K04719の助成を受けています。編集者の門田たま子氏には企画段階より懇切丁寧なご助言を賜りました。前書に引き続き、株式会社ハンナの井澤彩野社長には出版をご快諾いただき、また編集部の正鬼奈保氏にも最後までお力添えを賜りました。心より感謝申し上げます。

2020年2月

小畑郁男・佐野仁美

主要参考文献

石桁真礼生・末吉保雄・丸田昭三他　1998『楽典』東京：音楽之友社

岩井正浩　1998『子どもの歌の文化史――二〇世紀前半期の日本』東京：第一書房

オルスタイン，ジャン＝ポール（八村美世子訳）1991『ソルフェージュ』（クセジュ文庫）東京：白水社

岡田暁生　2005『西洋音楽史―「クラシック」の黄昏』中公新書　東京：中央公論新社

久保田敏子 1992『NHK 日本の伝統音楽　箏曲・尺八鑑賞入門』東京：日本放送出版協会

小泉文夫　2009『合本　日本伝統音楽の研究』東京：音楽之友社

熊田為宏　1999『演奏のための楽曲分析法』東京：音楽之友社

クレストン，ポール（中川弘一郎訳）1968『リズムの原理』東京：音楽之友社

小畑郁男・佐野仁美　2016『究極の読譜術―こころに響く演奏のために―』東京：ハンナ社

小畑郁男・佐野仁美・田中幹子　2018『保育士、幼稚園・小学校教員養成に役立つ　豊かな演奏表現のためのピアノ教本』東京：サーベル社

柴田南雄　1978『音楽の骸骨のはなし―日本民謡と12音音楽の理論』東京：音楽之友社

柴田南雄　2008『西洋音楽史　印象派以後』東京：音楽之友社

柴田南雄　2014『音楽史と音楽理論』東京：岩波現代文庫

武満 徹　1971『音、沈黙と測りあえるほどに』東京：新潮社

田中健次　2018『図解　日本音楽史　増補改訂版』東京：東京堂出版

皆川達夫・倉田喜弘【監修】 2004『詳説　総合音楽史年表　改訂版』東京：教育芸術社

皆川達夫　2009『中世・ルネサンスの音楽』講談社学術文庫　東京：講談社

レティ，ルードルフ（水野信男訳）1995『名曲の旋律学―クラシック音楽の主題と組立て』東京：音楽之友社

文部科学省　2018『小学校学習指導要領（平成29年告示）解説　音楽編』東京：東洋館出版社

文部科学省　2018『中学校学習指導要領（平成29年告示）解説　音楽編』東京：東洋館出版社

『新訂 標準音楽辞典』1991　東京：音楽之友社

西洋と日本の音楽史年表

世紀	西洋			日本		
	時代	社会・文化	音楽	時代	社会・文化	音楽
				古		和琴、土笛、石笛など出土
				代		
5	中	フランク王国成立（481）				三韓楽の伝来
6	世				仏教の伝来	仏教とともに声明が伝来
7			グレゴリウス 1 世がローマ聖歌を編纂	飛		唐楽、伎楽、散楽の伝来
8				鳥		雅楽寮の設置（701）
				奈		大仏開眼供養（752）
				良		
9						天台声明、真言声明の伝来
				平	遣唐使の廃止（894）	大陸音楽と日本古来の音楽の融合
10		神聖ローマ帝国	ネウマ譜が用いられる	安	貴族中心の文化	神楽歌、催馬楽、朗詠、歌披講
11		十字軍の派遣				猿楽、田楽が広がる
12			オルガンが教会に普及			
			フランスで吟遊詩人の活躍			今様『梁塵秘抄』を選定
			ノートルダム楽派、多声音楽の台頭	鎌	武士中心の文化	
13				倉		平曲（平家琵琶）成立
		十字軍の失敗	計量記譜法の発達			
14			アルス・ノヴァ			
			マショー《ノートルダム・ミサ曲》			
15		ルネサンス美術		室		世阿弥『風姿花伝』、能楽の大成
	ル	活字による楽譜印刷（1473）	デュファイ（1397-1474）	町		
	ネ		フランドル楽派によるポリフォニー音楽（通模			
	サ		倣様式）			
16	ン		ジョスカン・デ・プレ（1450 頃 -1521）			
	ス	ルター 95 ヵ条の論題（1517）				『閑吟集』（歌謡集）の成立（1518）
		奴隷貿易	コラール（賛美歌）		キリスト教の伝来	胡弓伝来
					（1549）	キリスト教音楽の伝来
			ローマ・カトリック反宗教改革	安		琉球より三味線が渡来
			パレストリーナ（1525-94）	土		
				桃		
		シェークスピアの戯曲		山		

17			現存する最古のオペラ、ペーリ《エウリ			三味線組歌成立
			ディーチェ》の上演（1600頃）		鎖国令（1633）	出雲の阿国が四条河原で歌舞伎踊を興行
	バ		カストラートの活躍	江		八橋検校が筑紫流箏曲をもとに箏組歌、
	ロ	ヴェルサイユ宮殿建設（1682）	舞踊芸術、メヌエットの興隆	戸		段物を創始
	ッ		器楽の勃興、通奏低音			『糸竹初心集』刊行（1664）
	ク		ストラディヴァリ、ヴァイオリンの製作			明楽伝来
			ロンドンで最初の有料演奏会			義太夫節の成立
			ヴィヴァルディ（1678-1741）			生田検校、生田流を創始
18			バッハ（1685-1750）			長唄成立
			ヘンデル（1685-1759）			歌舞伎、浄瑠璃の心中物を禁止
		ロココ芸術	通奏低音衰退			琴古流尺八の成立
						新内節、常磐津節、富本節成立
	古	ルソー『社会契約論』（1762）	ソナタ形式			
	典	産業革命（1760-1830）	ハイドン（1732-1809）			
	派	アメリカ独立戦争（1775-83）	モーツァルト（1756-91）		寛政の改革（1787-93）	
		フランス革命（1789-1799）	ベートーヴェン（1770-1827）		本居宣長『古事記	
19			シューベルト（1797-1828）		伝』（1798）	山田検校、山田流を創始
	ロ		メンデルスゾーン（1809-47）		町人文化栄える	長唄《越後獅子》初演
	マ		ショパン（1810-49）			清元節創始
	ン		シューマン（1810-56）			
	派	第1回パリ万博開催（1855）	リスト（1811-86）		ペリー来航（1853）	
		南北戦争（1861-1865）	ワーグナー（1813-83）	明	学制公布（1872-79）	西洋音楽の移入
		印象派美術（1860-）	ワーグナーの楽劇	治	教育令制定（1879）	音楽取調掛（後の東京音楽学校）設置
			ブラームス（1833-97）			《君が代》作曲
			サン＝サーンス（1835-1921）			『小学唱歌集』の刊行
		蓄音機の発明（1877）	ビゼー（1838-75）		鹿鳴館時代（1883-）	
			国民楽派の音楽			
			スメタナ（1824-84）			
			ムソルグスキー（1839-81）			
			チャイコフスキー（1840-93）		日清戦争（1894-95）	中尾都山、尺八都山流を創始
			グリーグ（1843-1907）			滝廉太郎（1879-1903）
			マーラー（1860-1911）			山田耕筰（1886-1965）
20			ドビュッシー（1862-1918）		日露戦争（1904-05）	東京音楽学校でグルック《オルフォイス》
	近	ロシア・バレエ団	ラヴェル（1875-1937）			を上演
	代		ホルスト（1874-1934）	大	『赤い鳥』創刊（1918）	宝塚少女歌劇第1回公演
		第1次世界大戦（1914-18）	《春の祭典》初演（1913）	正	童謡運動	宮城道雄（1894-1956）ら新日本音楽
		ロシア革命（1917）				を創始
		最初のトーキー映画（1927）	12音技法			邦楽器の改良

			シェーンベルク（1874-1951）			
			バルトーク（1881-1945）	昭		
			ストラヴィンスキー（1882-1971）	和		
			ウェーベルン（1883-1945）			
		第2次世界大戦（1939-45）	ベルク（1885-1935）		太平洋戦争（1941-45）	紀元2600年奉祝楽曲発表演奏会
	現					日本音楽文化協会設立
	代					
			トータル・セリー音楽			
			ミュージック・コンクレート			
			電子音楽			
			偶然性の音楽			
			ショスタコーヴィチ（1906-75）			武満徹（1930-96）
			メシアン（1908-92）			和楽器を用いた現代音楽作曲
			ケージ（1912-92）			《ノヴェンバー・ステップス》初演
			シュトックハウゼン（1928-2007）			(1967)

【著者プロフィール】

小畑郁男

九州芸術工科大学音響設計学科、国立音楽大学楽理学科卒業。九州芸術工科大学大学院博士後期課程修了。博士（芸術工学）。人の本質に立ち戻り、スタイルを越えて成り立つ音楽表現理論についての研究を行ってきた。博士論文《楽器の音色を視野に入れた音高構成理論の研究—感覚的協和理論の音楽への応用—》（http://www.design.kyushu-u.ac.jp/lib/doctor/2002.html#2002k）は引用される機会が多い。現在、福岡女学院大学非常勤講師。日本音楽表現学会会員。長崎在住。

佐野仁美

神戸大学大学院教育学研究科および神戸大学大学院総合人間科学研究科博士後期課程修了。博士（学術）。「日本人にとっての西洋音楽」をピアノ演奏による実践と文献研究の両面から探求している。主な著作に、《ドビュッシーに魅せられた日本人—フランス印象派音楽と近代日本》（昭和堂、2010年）、『究極の読譜術』（共著、ハンナ、2016年）などがある。現在、京都橘大学准教授。

音楽を教えるヒント〔表現・創作・鑑賞〕
—小中学校接続を視野に入れて—

2020年3月26日　初版発行

著　　者　小畑郁男　佐野仁美
発 行 人　井澤 彩野
発　　行　株式会社ハンナ
〒153-0061
東京都目黒区中目黒3-6-4 中目黒NNビル2F
Tel 03-5721-5222　Fax 03-5721-6226
http://www.chopin.co.jp/
製　　作　株式会社ハンナ
装丁・印刷　モリモト印刷株式会社

ISBN978-4-907121-26-6